講談社文庫

家族物語(下)

瀬戸内晴美

講談社

目次

家族物語（下）

臘梅(ろうばい)

ふと気がつくと、黒猫のルルがいなくなっていた。ろくろを廻すのに夢中になっていて、ほっと一息いれた時、いないことに気づいたのだった。いつもなら章史の仕事の手がちょっと休むとすぐ、ひっそりと寄ってきて、土だらけの章史の膝にとび乗ってくるルルだった。

ペルシャだと栄子が自慢していた猫で、まっ黒の毛並みが普通の猫よりふさふさして、しっぽが大きくゆたかだった。

「ルルはまだ子供だから、避妊するのは可愛そうよ、一度だけ産ましてやりましょう」

栄子はルルの産む仔猫を見たがったが、最初の妊娠がどうなったのか章史は覚えていない。産んだことはたしかだが、みんな生きていなかったように思う。

その頃、章史はたまたま、師匠の展覧会の準備でかり出されていて、師匠の窯場に何日も泊りこんでいたので、猫のお産どころではなく、章史にはほとんど記憶がなかった。

猫の恋が年に二度なのか一度なのかもよく知らない。章史は犬や猫が何となく不気味で苦手だった。出来ることなら一生抱きあげたりしないですましたかった。

ルルはそれでも何度か抱かねばならない羽目になり抱きあげたが、その度見かけよりずっときゃしゃな骨組にぎょっとして、あわてて猫を腕から取り落としてしまうことがある。

ぐじっとした柔らかな肉の感触もいやだった。

栄子が出ていってからは、ルルは章史によりそうようになった。章史も栄子があれほど可愛がった猫だと思うと、いとしさが湧いてきて、栄子のいた時よりは、はるかに猫の面倒を見た。猫の食事の世話もこまめにしてやった。どう思っているのか、ルルは当然のように章史に媚びた。

栄子のいなくなった心細さを、章史に媚びることで埋めあわせているようだった。

ルルは今では朝、章史の寝床にやってきて甘えた鳴き声をあげて、顔をすりつけてくる。ルルの声と感触で、章史は目をさまし、以前の章史には考えられない態度で、片掌でルルの胸をつかむと、自分の寝床の中にひきずりこむ。

ルルはそんな扱いは好きでないらしく、すぐ寝床のぬくさの中からとび出していくけれど、決して部屋の外へは出ず、またそっと章史の顔のまわりに来てうろうろするのだった。

章史が起きると、章史の歩く方へ、足にもつれるようにして、従いてくる。

思わず、ふみつけそうになりながら、章史がルルのまりのように弾む体をさけて窯場にいったり、洗面所に走ったりするのだ。

猫と暮らす孤独を愉しむなど、およそ老人趣味だと自嘲しながら、章史はルルに慰められている自分を認めないわけにはいかなかった。

「この子は純血だから、外へ出さないのよ。一度血がまじれば値打ちが下がるんですって、家の中で飼う猫なの」

栄子はルルを子供のように可愛がって、「この子」とよくいった。

章史がつい戸を開けっぱなしにして、ルルが外へ出たりすると、顔色を変えて飛びだし、ルルを抱きとめ、

「あれだけいったのに、ルルを外に出してしまって、何度いったらわかるのかしら」

と、涙ぐんで章史をなじった。

栄子が家を出ても、猫は別に病気になるでもなく、餌を食べないわけでもなかった。一日くらいは、うろうろ栄子を探している様子だったが、二日めにはもうそんな気配もなく、悠々と陽なたの縁側で寝そべっていた。

猫につられてもしかしたら帰ってくるのではないかという章史のわずかな期待も裏切られてしまった時、章史は猫まで憎み、鬱屈を猫にぶつけて、罪もないのにしきりに足蹴にしたりした。どんなに可愛がっても、すぐその恩を忘れるから畜生なのだと思うと、猫と女が似ているといわれるのもうなずける気がして、ようやく栄子に対して腹の底から憤りが湧いてくる日も生まれた。

いないようだと気にかかりだすと、章史はわれにもなくうろたえきっていた。

栄子がつけて出たままの首輪に鈴がついていて、ルルの動く度かすかに鳴っていた。

狎れてしまって、その音は空気の声のようになり、章史の耳にも気にさわらなくなじみきっていた。

家のどこにもその鈴の音が聞こえて来ないと思うと、急に家の空気の冷えきっていることが肌身に沁みた。

「ルル、ルルどこだ、出てこい」

家の中を猫の名を呼びながらうろうろしていると、栄子がいなくなった当座、いないとわかっていて、

「栄子、栄子……かくれていないで出てこい」

と、かくれんぼの相手を探すように、家の中をさまよっていた自分の姿が思い出されて、みじめな気持になった。

猫にまで見捨てられたかと思うと、栄子の十分の一も猫を可愛がっていたとも思えないのに、やはり裏切られたという気がしてくる。

心のどこかに、栄子の形見だからという想いをかけていたのかと、今になって思い当たる。栄子がふっと帰って来た時、ルルが駈けより、栄子が、ルルを抱きあげて、頰ずりしながら、

「まあルル、覚えていてくれたの、可愛いわね、おおよしよし、そんなに淋しかったの、あたしだって、お前をずっと忘れてはいなかったのよ。毎日々々思い出していたのよ。だからほら、こうして帰ってきたでしょ。まあこんなにやせて……可愛そうに」

栄子のそんな姿や声を、何度夢に見たことか。

「ルル、出て来い」

章史は、また家の中を廻りはじめた。

広くもない家のどこにもルルはいなかった。よくもぐりこむ押入れや本棚のかげにもいなかった。天井裏にでも入ってしまったのかと、竿で天井を叩いてまわったが、埃が舞い落ちてくるばかりであった。

風が吹き家の外の竹むらがざわめいても、章史は鈴の音を聞いたように思い、何度か飛び出していった。

栄子が出ていった後、二ヵ月ほどは、深夜、やはり風の音や戸外を走る獣の気配に、もしや栄子が帰ってきたのではないかと、何度もだまされて、外へ飛び出していったことが思い出されてくる。ルルは栄子の身替りだったのかと、情けなさがいっそう身にしみてくる。

章史は気がかりで、とうとう、夜明けまでろくろを廻しつづけて一睡も出来なかった。ろくろを廻しながらも、耳は戸外にひらいていて、わずかな物音にもびくっととび上がりそうになって、外へ走りだしていった。

明け方仕事場で、壁にもたれたまま、ついうとうとした。一晩中廻したが、ろくろからは使えるものは何も生まれなかった。

水の底に溺れているような胸苦しいとりとめもない夢を見て、ふっと目を覚ますと、窓の外が白んでいた。

夜が明けると猫は必ず住みついた家にもどっていると、誰かに聞いたように思い、章史は戸外に出て、家のまわりを見て廻った。

　裏の畠の隅にためている腐葉土の上に、ルルが沈みこむようにうずくまって、金色の目をぼんやり見開いていた。

「ルル、帰っていたのか、感心々々」

　章史は思わずのばしかけた手を引っこめた。ルルはけだるそうに身動きもせず、金色の目はどんよりくすんで、いつもの輝きがなかった。

「ルル、どうしたのだ」

　章史はとっさにルルの表情から見つけないものを発見して、いっそう目をこらした。

　ルルは、手足をぴくとも動かそうとはしない。力尽き果てたように、ただそこにぼろ屑のように横たわっているだけだった。

「何だお前、やられてしまったのか」

　章史がつぶやいても、声も出さない。瞼を重そうに垂れ、ぐったりと首を落としてしまう。いつか栄子とテレビの画面で見た、野武士たちに襲われ輪姦されて、死んだようになった農家の娘の姿態が思い出されてきた。

「いやっ、こんなの」

　栄子が疳高い声を出して、ぴしっとテレビを消したことまで思い出した。

　ルルに、いつさかりがきていたのか一向に章史は気づかなかった。雄だけが発情期に外へ出たがるのだと単純に思いこんでいたのだ。

ルルが発情して外へ迷い出て、何匹かの野良猫に輪姦されたのだと思い描いても、実感がわかない。

章史は仕方なくルルを抱きよせてみた。全身泥にまみれ、毛に汚いものがこびりつき、見るも無惨な姿になっていた。

その日一日中、ルルは身動きもせず、章史の仕事場の隅に坐りこんでいた。触っても撫でても、薄目をあけるだけで、物うそうに動かない。

餌だけはがつがつと食べ、食べ終わるとまた死んだように眠りつづける。

栄子と所帯を持ったはじめ頃、夜も眠らず愛しつづけて、翌日は、栄子が、

「腰がぬけちゃった」

と、くっくっ笑いながら、起き上がろうとしては、どさっと、蒲団に坐りこみ、両手で水をかくような恰好をして、涙の出るほどふたりで笑ったことなどが思い出されてくるのだった。

今、栄子が新しい男と暮らしているとしたら、またあの頃のように情熱的な夜を過ごしているのだろうか。

普段は平凡なおとなしい顔立ちで、化粧や服装もいたって地味なのに、閨(ねや)の中の栄子は、信じられないほど奔放で燃えつくした。積極的ではなかったが、需めれば、どんな姿態にも応じようと努力する。まるで飴でもこねるように、章史は栄子の軀をほしいままに折ったり曲げたり、そらせたりした。

腰がぬけたという朝は、章史が飯を炊き、味噌汁をつくってやった。

「極楽ね」

一重瞼のはれぼったい目をいっそう細めて、栄子はかすれた声でいう。

「上げ膳据え膳ってこのことね」

「増長しやがって」

章史は栄子の頭をこつんと叩いておいて、またそこに倒れこむ。

「もうかんにん……殺す気？」

その声もかすれていて、いっそう章史は欲情をそそられるのだった。

思いだしただけでも、腹の底から熱くなってくる。章史は、あそこまで許しきった女が、裏切って出ていくという心理がどうしてもわからなかった。

男がいるとは最後まで白状しなかったが、男の影があらわれないことに慰められていた自分の甘さを、今になって章史は笑止なものに思っている。男がいないといい通したのが、せめてもの栄子の自分への思いやりだったのかもしれなかった。

今、栄子が自分以外の男と幸せになっていることを想像すると、章史はやはり許し難いと思う。

かといって、今、栄子が今日のルルのような姿で、しょんぼり帰ってきたとしたら、自分は許して思わず抱きしめるだろうか。

出ていって以来、電話一本かけてよこさない栄子の気丈さに、章史はいやが上にも打ちのめされていた。

方向オンチで、ひとりで歩けば道をまちがえてばかりいた栄子が、今、誰の案内で、歩きつづけているのか。

ルルがまた薄目をあけ、盗みみるような卑しい表情をした。

「不潔なやつめ」

章史は思いきり、ルルの胴を蹴とばした。

栄子がいなくなって困ることのひとつに、外泊出来ないことがあった。ルルを一匹残して旅に出られないのだ。

盗られて惜しい物も別にない身の上だから、ろくに戸締まりもせず外へ出る癖がついている。それでも家を空けて旅に出る時は、ルルの餌の心配があった。

人になつかず家になつくという猫の習性で、他家に預けてもうまくいかない。

章史は猫のため、近所の独りものの猫好きの老女とつきあい、小山くめというその老女に、留守のルルの餌と、家の見廻りを頼む契約をした。

あの夜以来、ルルの目つきは陰険になり、表情がすっかり変わってしまった。自分の気のせいかと思い直してみても、妙にふてくされたような態度が見えて可愛げがなくなってしまった。

「避妊手術しないとだめですよ」

小山くめにいわれて、章史はぎょっとした。

「さかりがつけば獣ですからね。どんなに見張ったって手におえないしね、雄は面倒ないけど、雌はその度孕(はら)むからね、やっぱり手術しといた方がいいですよ」

「さかって外へ飛び出すのは雄猫ばかりと思っていたけどなぁ」

「そんなことないですよ。人間の女かて、近頃は男以上に色気づいたら飛びだしてるじゃないですか」

いってしまって、あっというようにくめは、老人しみの浮き出た掌で自分の口を押さえてしまった。

「いいんだよ、その通りだもの」

章史がむしろとりなし顔になった。

「すみませんねえ、ひとりで居ると、つい、口ばっかり悪くなって……これだから、御近所からも嫌われるんですよ。人間、ほんとのことをあまりいっちゃいけないんで」

今度は章史もふきだしてしまった。

「おやまあ、また失言しましたね、失言ばばあなんて可愛げありませんね」

くめは、見かねたようにあたりを手当たり次第片づけながら、ちょっと声を落としていった。

「それであのう……奥さんからは、お便りないんですか」

「うん、あれっきりだ。ま、便りがないのはいいと思わなきゃ」

もう近所中に栄子の家出は知れ渡っているのだと思うと、章史はいっそ肩が軽くなった。

「出すぎたことかもしれないけど……それであの、奥さんとは正式に離婚されてるんですか」

「いや、どうして？」

「ふうん……そうですか。ま、これは老婆心だけれど、まだ奥さんだとなると、何かおこった時、こっちへ責任がかかりますよね」

「責任？」

「つまり、その……」

「ん、わかった。自殺とか……」

心中とかといいかけた言葉を章史はのみこんだ。

「まあ、縁起の悪い」

くめは、あわてた様子で顔の前で掌を振ってみせたが、思っていることをいいあてられた狼狽が、三角形の目の中にあふれていた。

「いいさ、もう、縁起をかついだって仕方ないもの、近所じゅう誰知らぬ者もない事実なんだから」

章史は苦笑いしながらいった。

「そんなふうに割り切っていらっしゃるならいってもいいんですかねえ」

くめは奥歯に物のはさまったようないい方で、ちらっと章史の顔を見る。

「何か知ってるんだね」

章史はくめの目を見据えるようにして訊いた。

「いえね、これは御詠歌の会の帰りに、ちょっと耳にはさんだことで……たしかな話ともいえないんですけどね」

「いいから、聞かせてくれないかな、誰か栄子に逢ったっていうの。それとも、栄子のことで前から何か評判がたっていたの」

「それがねえ……ま、人の話なんていいかげんだし、無責任ですからね」

「いいかげんでもいいよ、何か手がかりがあれば」

「実はね、杉野の婆さんのいうことですからね、あの人はほんとにお喋りなんだから」

「杉野の婆さんて、雑貨屋の」

「ええ、あそこの嫁さんが半月ほど前、東京へいった時の話ですよ。でも嫁さんから直接聞いた話じゃないんですよ」

「わかってるよ、それで、杉野の嫁さんがどこかで栄子を見かけたんだね」

「ええ、新宿の駅だったそうです。何でも嫁さんが、自動券売機の前でキップを買おうとしたら、前に買った人がふりむいたんだって」

「………」

「その人がここの奥さんだったんで、思わず声をかけてしまったっていうんですよ」

「そしたら」

「奥さんはびっくりして、ぱっと走って逃げてしまったっていうんです」

「逃げたっていうのはどうかな」

「ええ、杉野の婆さんがそういうんで、もしかしたら、よく似た人で、人ちがいかもしれないし……」

「ふむ……」

「その走っていく奥さんの後から、男の人が駈けだして、腕をつかんだっていうんです」

「………」

「その人に腕をつかまれたまま、奥さんは改札を入ってしまったんで、嫁さんはあっ気にとられていたって……ね……」

男は若かったか、年輩だったか、どんな背丈だったか、訊きたいことが咽喉元にあふれてきたが、章史はぐっと唾をのみこんだ。

自分の顔色が変わっているのがわかって情けなかった。

「そういうことかもしれないな」

「あら、悪いこといっちゃったですね。でもあの人はほんとにお喋りだし、つくり話の名人だからね、みんなでたらめかもしれないし」

東京へ出るのは何ヵ月ぶりだろう。

章史は東京駅につくと、いつものように八重洲口に降りないで、新宿行きの電車に乗った。

焼物はみんな送り出してあるので、ショルダーバッグをさげたままだった。

新宿の西口とも東口とも聞いていなかったが、章史は一まず東口に出ていった。

自動券売機の前には格別人だかりがして、せわしなく人々が動いていた。目まぐるしい人の渦の中に立っていると、自分が微塵のように卑小なものに見えてくる。

男も女も、老いも若きも、何か目的あり気に渦の中を泳いでいる。どの顔もさほど幸福そうな顔もしていないかわり、今死にたいというほど悲惨な顔つきもしていない。この人々がそれぞれ家庭という城に住み、今夜はその城で眠ろうとして、こうも急ぎあわてて歩いているのだろうか。

自分のようにひとり者だっている筈だ。章史は自分の目で、前を突きとばさんばかりの勢いで歩いていく人々の顔から、倦怠と憂愁の影を探しだそうとして、その虚しさをすぐさとった。

この渦のどこかに栄子がいても不思議はない。噂では、それが夜だったか朝だったかさえもわからない。栄子の腕をつかんだという男が、現在の栄子と暮らしているなら、少なくとも栄子は淋しくはない筈だ。それをせめてもの喜びとして考えるべきなのだろうか。

どんと後ろからいきなり突きとばされたように思い、章史は思わずたたらを踏んでいた。立ち直った時は、自分の背後に誰もいなかった。誰もが、章史がつまずこうが倒れようが、知ったことじゃないという勢いで改札口へ向かっている。

舌打ちしたいように思って、外れかけたショルダーバッグを肩に直した時、はっと気づいた。上衣の内ポケットが軽くなっている。手をあててみると何もなかった。財布が見事にすられていた。

全身がかっと熱くなった。すりの目にはいかにもぼんやりの、田舎者のお上りさんと映ったのだろうと思うと、恥ずかしさが全身を駈けめぐっていく。ショルダーバッグの中をさぐってみると、その中の小銭入れの方は無事だった。そっちには、ほんの少ししか入っていない。

章史が青山の久美子の所にたどりついたのは、もう町に灯の光があふれている頃だった。電話をいれておいたので、久美子はまだ店に残っていてくれた。

「遅かったわね」

久美子は明るい表情で章史を迎えた。つい昨日逢ったような親しさが、すぐふたりの距離を埋めてくる。

「それで、結局、すられじまい？」

章史は頭をかいた。

「何ともうみっともなくて」

「ずいぶん入っていたの」

「そんな大金ある筈ないけど、ぼくとしてはまあこたえるほどで……」

「何かに気をとられていたんでしょう」

図星をさされ、正直に章史はうなだれた。

「何だか脂気が抜けたみたいな顔してさっぱりね」

久美子はいつでも若い目をかけている工人たちにははっきりものをいう。あっさりしているといえば聞こえはいいが、その歯に衣を着せない喋り方には、神経の細い人間は充分傷つくこともある。そんな程度の神経なら、はじめから、苦労覚悟の道など選ばなきゃいいんだという気持が久美子にはある。

脂のぬけたような章史の、どこか惨めらしい姿は、目のあたりにすると、ほのかに抱いていた甘い感情などたちまちかき消してしまった。

その分、自分がこの若い男の電話の声に、心を少しでもうるおしたことが口惜しく、久美子の声は冷たく、目は鋭くなってしまう。

大体新宿の人ごみで財布をすられるなど、何という間抜けなのだろう。

「そうそう荷は無事に着きましたよ」

「あ、そうですか、全部無事でしたか」

「ええ今度のものは、やっぱり気合がもうひとつ入っていないわね」

も少し、やさしいいい方はないものかと、自分で自分の言葉に嫌気がさしながら、それでも口調からきびしさが消えない。

「そうですか、やっぱり」

章史は素直にうなだれていった。久美子の目の正確さを信用しているので、久美子の批評は骨にこたえる。

「この瓶子はどうでしょう」

最初から、久美子は食器のなかにひとつだけまじっていた青磁の瓶子のふっくらとした肩のまるみと、底にむかって柔らかくすぼんでゆく線のなだらかさに惹かれていた。

「美美」で商品にするには場所を取りすぎるが、それひとつ、ウインドウに据えても、あたりの空気をひきしめる力強さと気品があった。青磁の色も澄み、やや緑がかったそのつややかな色は、濃い油がこり固まったような照りと輝きがあった。

「いつから瓶子を手がけているの」

「もう二、三年前からですが、どうしてもうまくいかなくなって……それが、女房がいなくなってから、ふっと、形が決まったんです」

何となく若い女の裸体を連想させる瓶子の形は、見様によってはエロティックでさえあった。

久美子は目を細めて、青い瓶子に見入っていた。やがて自然に両掌が泳いでゆき、瓶子の肩から腰に触れていた。

「何だか、淋しい感じがして、好きなんです」

章史がひとりごとのようにいう。

昔はおそらく神酒を入れる器であっただろう瓶子の形がこんなになまめかしいのはどういうわけだろう。壺の肌の手触りはあくまでなめらかで、妙にあたたかかった。あるいは久美子自身の体温が掌から吸いとられて、その温さが掌に照りかえってくるのかもしれなかった。

「やっぱりだめですか」

久美子の感情をおさえこんだ表情を見て、章史が暗い声でいった。

「これはいいわ。だんだんよく見えてくるわ、あなたは食器なんか作らない方がいいのかもしれない」

久美子の言葉に、章史の顔に灯がともった。

「こういうもの作っている時は、ほんとに嬉しいです。しかし食えないし……」

「そうね難しいところね。あたしは大体、焼物師が、ここ十年ほどの間に猫も杓子も作家面するのが気にくわないんですよ。ずっと大昔から、ほんとにいいものは、作者の名なんかないですよ。名をいれるようになったって、昔の人たちは、自分を芸術家だなんて考えていなかった筈よ、第一展覧会なんてないしね。みんなこつこつ作って焼いて、いい仕事だけ丁寧にしようと心がけたんじゃないかしら、職人ってそんなものよ。値段は使う方でつけてくれるのよ。自分で値を吊りあげたりしないしね」

「そのかわり、昔はスポンサーがついてくれたでしょう」

「官窯なんかはね。職人は作ったものが人に喜ばれるのが喜びで、次の材料費が出ればいいくらいだったんでしょうね。でも、どうしてかしら、そんな状態は決してよくないし、もちろん生活が出来る収入は、当然、あってしかるべきだし、材料費や燃料費の心配なんかもない方がいいに決まってる。それでいて、昔の無報酬の徒弟制度の時の方が、しっかりした仕事があらゆる工芸の世界で、立派に伝わっているでしょう。

生活の苦労がなくなるほど、腕がだめになるというのが、今の現状でしょう。あたしにもわからないのよ。うちで扱う人たちのものも、生活しかねている時のものにいい作品が生まれているのね。売れだしたら、どこかゆるんでくる」

「心がですか」

「作品によ、緊張度がゆるむのよ。氷のような張りつめたものがすっとかげってしまうのね」

「ぼくの今日の、他のものがそうですか」

「いいえ、これはまたちがうのよ、これはあなたの精神状態がゆれ動いているからよ、落ち着いていないのよ。この壺は、少し前に作ったんでしょう」

章史はうなだれてしまった。久美子にどんな嘘をついても、みんな見破られてしまうだろう。

「仕方がないわね。今あなたに一番必要なのは、奥さんが帰ってくるか、すっかり忘れてしまうかでしょうね。忘れるのにはもっと時間がかかるでしょうね」

「帰っては来ないと思います。もうこの頃では、はっきりそう思っています。負け惜しみじゃないんです」

「そうかもしれないわね。女って案外、過去を切り捨てるのが身についているのよ。男の方がその点、純情というか、未練というか、時間がかかるものらしいわ」

「出来るだけ、早く忘れるよう努力します」

「何も無理することないわ。自然に苦痛が薄れていくのを待つしかないわね。日にち薬よ、一年もたてば、よほど楽になるわ」

「一年もですか」

章史があきれたような声をあげた。

「一年もこんなにぼけてたら、餓死ですね。でもよかった。さっきはもう逃げて帰ろうかと思ったんです。とても怖い顔してだめだっていったから」

「だめだとはいわないわ。気合が入っていないといっただけよ」

「でも、それはだめだということですから」

「奥さんに逃げられたくらいで、おちこんでいたら男じゃないわ」

「すみません」

章史は神妙な表情で頭を下げた。

「おなか空いてるんでしょう。食事にいきますか」

「美美」の近所の京小料理の店へ行くと、カウンターの奥のせまい小部屋がひとつ空いていた。久美子はひとりの時はカウンターで、主人の料理をつくる合間の話を愉しみながら食べるのだが、今夜は章史の話を聞くため、小部屋に入った。

運ばれた湯のみや茶托を見て、章史はすぐ、この店も「美美」の客筋だとわかった。

「いいですね、この湯のみ」

「ああ、それは岐阜の山の中でひとりで焼いているまだ若い人のよ。そうね、あなたより、三、四歳若いかしら」

「口あたりがいいですね、それにこの白はあたたかみがある」

「あたしもそう思って、今、熱を入れているところ」

若い優秀な陶芸家はいくらでも出てくるのだと、暗に久美子はいっているように章史には聞こえた。

「今日の支払いは、旅費くらい渡して、後は送ってあげましょう。危なくて渡せないから」

「もう二度とすられたりしませんよ」

「奥さんに似た人でも見かけてぼうっとしてたの」

久美子の推理の的確さに、章史は笑いかけた口許が硬ばった。

「まあ、当たらずといえども遠からずってところです。どうせ馬鹿にされついでに白状します」

ふなずしのつきだしと銚子が運ばれてきた。

「ふぐのひれがありますが、ひれ酒あがりますか」

主人よりずっと若い女将が愛想よくいう。

「いいわね、ふぐさしとお鍋といきますか」

「うけたまわりました」

女将がひっこむと、章史が久美子に酒をついだ。

「それで白状のつづきは？」

「近所の人が新宿駅で女房を見かけたっていうんです。しかとはわからないんですが、まあ、いなくなってはじめての情報でしたから、ちょっとあわてたんですね」

「そりゃ、そうでしょうね」

「東京へつくとつい新宿へ足がむいてしまって……馬鹿なことです。われながらみっともないなって、愛想がつきています。あげくの果てにすられてしまって」

「ま、すんだことは仕方がないわね。もうあきらめなさい」

すられたものをあきらめよというのか、栄子をあきらめよというのか、章史はちょっと考えた。

青磁の大皿にふぐの刺身が菊の花べんを並べたように、整然とのせられて運ばれてきた。

「いい皿ですね」

薄づくりの魚の肉を透して浮かんでいる皿の線描が何の模様かと、章史は目を凝らした。

「青木さんのお皿よ、いいでしょう」

「へえ、青木さんのですか」

青木は章史とほぼ同年輩で、やはり久美子が発見した陶芸家だった。繊細な仕事は、章史のどちらかというと男性的な作風とは対照的だが、章史は内心ライバル意識を持って注目していた。

この皿一枚で、はっきり水をあけられたと思った。

「青木さんは歯がゆいくらい競争意識のない人で、苛々させられるくらいのんびりしているけど、結局マイペースのそんな焦らないやり方が成功しているみたいね」

章史の顔色が変わったのを見ぬいた上で、久美子ははっきりいう。青木が成功したという意味は、章史よりもということだと、章史は正確に受けとった。

「しかし、うまくなったもんですね」

「あなただってこれくらいの腕はありますよ、ただ」

「ただ、何ですか。何いわれても平気です。いって下さい」

「ただ、気力がないというだけよ」

「わかりました」

章史は自分がいっそう血の気のない顔になるのを覚えながらいった。

「まあ、おあがりなさい」

ひれ酒をのみかけて、あまりの熱さに章史は思わずむせかえった。ひれ酒などのみなれていないからだった。

「失礼しました」

「いいのよ。あたしもよくこれにはむせるわ」

久美子は章史を楽にさせてやりたい気持から、そう取りなして、自分は美味そうにのんだ。

「でも、奥さん帰って来ないとなれば、ひとりは無理ね、あなたは淋しがり屋だから」

箸で、すっと、ふぐをすくいあげながら久美子の話がもとにもどる。

「いや、もうこりました。女は怖いですよ」

章史が心底恐ろしそうにいったので、久美子は思わず笑った。

「そうとばかりともきまらないわよ」

「ええ、でも少なくともぼくは女はもっとやさしいものと思っていましたからね」

「そんなに怖がることないわ。お宅の奥さんを通して、女一般論にしてもらいたくないわね」

「はあ、でもあんな平凡な、ごくごく普通の女房が、こんな大胆なことをやってのけるんですからね、もう怖いですよ」

「でも、人を忘れるには、別の人を好きになることが一番手っとり早いわよ」

「それはぼくだって承知してるんですが、そう簡単に次のも出来ませんしね」

久美子と別れて、ビジネスホテルにでも泊まるつもりで、章史は渋谷に出た。一度泊まったホテルを探していたが、少し来ない間にすっかり様子が変わっていて、見覚えの店や建物がなくなっていた。

ひれ酒の酔いがぬけないのか、今頃深く廻ってきたのか、章史は外国にでも行ったような心細

い気持になってふらふら歩いていた。意識のどこかに、新宿ですられたことがひっかかってい
て、久美子から渡された現金は、しっかり内ポケットにいれ、時々掌がその上へたしかめにゆ
く。

「お兄さん」

声をかけられても自分と思わず章史は歩きつづけていた。

「寒いわね」

いつのまにか肩を並べて若い女が歩いていた。長い髪を垂らして、化粧気もなく、素人っぽかったが、東京の夜の女は、こういう素顔じみた化粧をしているのかもしれないと思って章史は警戒した。

額の広い顎のしゃくれた顔は年齢不詳の子供っぽい表情をしていた。

「屋台でラーメン食べない」

「今、めし食ったとこだ」

「へええ、何食べたの」

その問い方が無邪気で無防禦な感じがして、章史は思わず女の顔をまじまじみかえした。目と目が離れて、鼻が低く、ちょっと上を向いているのが可愛かった。

「ふぐ料理」

「へええ、豪勢ね」

章史はその感嘆の仕方が感極ったように聞こえ、思わず笑ってしまった。

「ふぐなんて食べたことないわ」

「おれだって、めったに食べない」

「あれは毒がこわいの。うちの田舎の貝塚にね、大昔、ふぐをたべて一家全滅した人たちの骨が出てきたのよ」

つくり話でもなさそうで章史は耳をかたむけていた。

「田舎ってどこ」

「四国よ、海辺の小ちゃな町よ」

気がつくと、章史は女の歩調に合わせ、女の行く方へ歩いていた。

「あったかいんだろうなあ、四国って」

「うん……」

女は急にだまりこんだ。何か思い出しているのか、唇の端をぐっと下げたような表情をしている。

章史もだまって歩を運んだ。

「あっ、いた」

女がふいに叫んだ。通りの端にラーメンの屋台がとまっている。

「あのラーメン美味しいのよ。ね、食べないでもいいから、つきあってよ」

章史が決めかねていると、女はふいに章史の腕をつかんだ。

「お願い、あたし、今夜とても淋しいの、ひとりでラーメン食べるなんて、いやなのよ、食べないでもいいからいっしょにいて」

章史は別に気が変でもないらしい女の言葉についうなずいてしまった。

ラーメン屋は夫婦づれだった。

初老に近い夫婦は、おだやかな顔をしていた。先客が一人、床几（しょうぎ）の端でぼそぼそラーメンをすっていた。

「久しぶりだね」

手編みらしい毛糸のジャケットを着こんだラーメン屋が、章史のつれの女に声をかけた。

「うん、ちょっと東京にいなかったから」

「へえ、ちょっとやせたんじゃないか」

横から女房が、

「つけますか？」

と女に訊く。

「熱燗にして……うんと熱く。ぞくぞくするの」

「そいつはいけねえや、今悪い風邪がはやってるからね」

女は両掌をまるい頬にあてて、ごしごしこすった。章史の目には丸顔だと見える女が、やせたといわれたのでびっくりした。

「あ、この人はいいの、たった今、食事したばっかりなんだって……」

女が章史の分もラーメンをつくらないようにいう。

「もう一本」

と先客がいった。男は焼酎を湯で割ってのんでいる。

「ぼくも一本つけて下さい」

章史はいった。

燗が出来た時、ラーメンも出来てさしだされた。

女は、さも美味そうに、湯気で鼻の頭をぬらしながら、ラーメンを食べはじめた。

「大丈夫だ、そこまで食欲がありゃ」

屋台の主人が満足そうなあたたかい声でいった。

「しばらくみないね、竜さんは元気かい」

ラーメン屋がいう。すると、ふいに女は肩をふるわせて嗚咽した。涙がぽたぽた丼の中へ落ちるのもかまわず女が泣く。

章史はあっ気にとられて呆然と見ていた。

ラーメン屋の女房が、湯のみに、熱燗を一気にそそいでくれながら、片手で亭主の腰を突いた。

「だめじゃないか、無神経なことというもんじゃないよ」

「何も別に……ただ竜さんのことを訊いただけじゃないか」

「いいのよ、おばさん、あたしが悪いんだから……竜とは別れちゃったのよ。まだ辛いから、つい涙が出ちゃった」

「悪かったね、知らなかったもんだから」

気の弱そうなラーメン屋がおろおろした声でいう。章史は彼等のやりとりを聞いていて、自分が慰められているようなほのぼのした気分になってきた。

「ごちそうさま」

先客が金を払って出ていった。立つとひどく猫背が目立つ老人だった。

「先生、お気をつけてね」

女房が威勢よく客の背にいった。

「何の先生？」

もう涙をおさめた女が訊いた。

「占星術の先生だとさ」

ラーメン屋が小馬鹿にしたようにいう。

「こいつが岡惚れしてやがって」

「何いうのさ、妬きもち焼き！　星占いは、方便だよ。あの先生は小説家だよ」

「売れたためしのない小説家か」

「売れてる小説家なんかにろくなのいやしないよ。あの人は高みの小説だから売れないんだ」

「へえ、手前いつ、あの人の小説読んだ？」

「読まなくったってわかってるさ」

「それじゃ何かい、売れてる小説は低みというのかい」

「まあそうじゃないの、うちのラーメンみたいなもんだ」

誰より先にラーメン屋が笑った。

「低みでいいわ、美味しけりゃ」

女が取りなすようにいうので、いっそうおかしくなった。

「ま、めそめそしなさんな。とことんゆきつまれば、高みの先生に星占いでもしてもらうさ」

「いいのよ、もう……お兄さん悪かったわね、無理にひっぱってきちゃって……」

「えっ、この人、知りあいじゃないの」

女房がすっとん狂な声をあげた。

「さっきそこで偶然あったのよ。あんまりあたし淋しかったから、ラーメンいっしょに食べて下さいって、誘ったの」

「そいつは御迷惑だったね」

ラーメン屋が皮肉でない口調でいう。

「だって、あんまり淋しかったんだもん、今日、あたし、赤ん坊おろしちゃったの……病院で麻酔がさめて帰ってもいいっていわれて、歩いていたら、この人に逢ったの」

「誰の子かわからないなんていわれて……かっとして」

誰も何もいわなかった。

「男って卑怯なもんだよ」

「おいおい、男全般卑怯者よばわりはひどいじゃないか」

「黙っててよ。あたしゃ、サッちゃんと話してるんだから、邪魔しないでおくれよ」

「あたし、こんなだけど、こういうことはじめてだったの、何もかもいやな初体験でしょ。ふらふら歩いていて、このまま足許の土地がぱくっとさけて、のみこんでくれないかと思った」

章史がついだ湯のみの酒を、女は無意識でごくりとのみこんだ。

「そうしたら、このお兄さんが、やっぱり、あの世から迷い出たような足どりで、ふらふら歩いてるじゃない、やあ、同類って、声をかけたくなったの……ごめんね」

「いいんだよ、でもびっくりした。ストリートガールかと思ったよ。お兄さんなんて、呼ばれつけないから」

ラーメン屋も女房も声をあげて笑った。

「この子はね、そこの先の町角で似顔絵描いてるんですよ。そりゃうまいんだから、時々、兎やひよこも売ったりしてね。悪い子じゃないからかんべんしてやって下さい」

「ぼくの方が慰められたんですよ。ぼくも足許の土地がさけた方がいいと思ってたから」

章史がいい、女の湯のみを自分の方にひきよせた。

「のまない方がいいよ。からだに毒だ、今夜は」

春泥（しゅんでい）

「こんなとこよ」

幸子は、ドアを開けていった。

六畳一間の安アパートは、今時、もう珍しいほどの貧しげな建物だった。建物の外についた階段を上って二階に上り、最初の部屋が幸子の部屋だった。

ラーメンの屋台を出て、足のもつれる幸子を送って、彼女のアパートまで来たのだ。

幸子という名は、その途中で女が名乗った。

「あんたは?」

と訊かれて章史も名乗った。姓はお互いに伝えなかった。

アパートのドアには、

「荒井幸子」

と、紙きれに書いた表札がはりつけてあった。

部屋の中は、案外清潔に整頓されていた。

きれい好きの章史は、それだけでもほっとした。

たたきに立ったままの章史に、

「どうして？　上がらないつもり？」

といった。

「もう遅いからな」

「だって、どうせどこかへ泊まるんでしょ、今からホテル探すって、さっきいってたじゃない」

「うん」

「泊まってっていいのよ」

「そうもいかない」

「どうして？　あたし、今日は何も出来ないから大丈夫よ」

章史は思わず笑ってしまった。靴をぬぎながらいった。

「そっちが大丈夫でも、こっちが大丈夫でなかったら、困るだろう」

「あんたはそんな人じゃないもの」

章史はふっと、心がうずくような哀しみにうたれた。幸子の自分に寄せる無垢な信頼が心にしみ透った。

たたきの横のせまいガス台のコンロに幸子がやかんをかけた。

「疲れただろう。手術のすぐ後で酒をのむなんて無茶だよ」

「あら、ほとんどのませてくれなかったじゃない」

幸子は陽気な声をだしていい、赤いプラスチックの盆に、湯のみをふたつのせて、章史の前にさしだした。

「ウイスキーが少し残ってるけどのむ？」

「いや、酒はもういい、酔うと危ないから」

「何が？」

「大丈夫でなくなる」

壁の向こうからいびきが聞こえてきた。

これでは話声もつつぬけではないかと章史は愕（おどろ）いた。

「すごいいびきでしょう。隣のおじいちゃんは大工さんだったんだけど、右手を交通事故で痛めて、今は料亭の下足番してるの。おばあちゃんは裁縫が上手で、呉服屋のいい着物縫っているらしいわ」

「これじゃ、話がつつぬけだろう」

「そうでもないわ。話って、声は聞こえても、内容はわからないわよ」

幸子は立って赤い缶を持ってきた。

「かりんとうが少し残っている」

「もう食い物はいいよ。そこにじっとしていなさい」

章史は栄子も今頃はこんなわびしい部屋で暮らしているのかもしれないと思うと、心が沈みこむように思った。

「何か思いだしたんでしょう」

しばらくして、幸子がぽつんといった。

「どうして」

「顔にそう書いてあるもの」

「逃げた女房のことを考えてたんだ」

「ふうん……そう……きっと、あんたがおとなしすぎたのよね」

「そんなことないよ。ずいぶんわがままだし、自分本位だった」

「そうかしらねえ、女ってね、時々は意味もなく、ばあんと男になぐられたいと思う動物よ」

「暴力はいやだね」

「暴力も愛情の裏がえしってことあるでしょ」

誰かに聞いた言葉のように、幸子は自信なげな口調でいう。

「男が出来たの」

「わからない」

「たぶん出来たのね」

「そんなに簡単に断定されると面白くない」

「奥さんのこと惚れてたのね」

「…………」

「女って、愛していても、他の男と寝ることだってあるのよ。男だってそうでしょう。愛と迷いとは別なのよ」

「迷い？　浮気じゃないのか」

「浮気とはちがうのね。何だか、何かがのり憑ったみたいに、ふうっと、自分がなくなる時があるのね」

「生理と関係があって？」

「ううん、そういうのともちがうのよね。何かこう、ふうっと、世の中のすべてがつまんなくなる時があるのよ。魔にみいられる時ってあるでしょう、ああいう感じよ」

章史は力なく首を振った。幸子の口調には不思議な説得力があったが、女の生理の奥を覗かされたようで、理解はし難かった。

「帰ってくるんじゃない？」

「そうだといいんだが、何だかもう、そう思えなくなってきた」

「なぜ」

「親しい人間の間には、肉親とか夫婦とか恋人とかの間だけど、離れていても何か糸みたいなものでつながっていて、テレパシーのようなものが通じているだろう。そう思わないかい」

「そうね、まれにはそういう時もあるわね」

「それがぷっつり、切れてしまったって感じがはっきりしだした」

「いつ頃から」

「ついこの頃だ。これは理窟じゃないから説明出来ないけど」

「わかるわよ、それは」

「向こうがテレパシーの受信装置を外してしまったんだな。もう俺のことは思いだしたくないときめたんだ」

「あら、雨かしら」

幸子が立って窓のカーテンをあけると、外は雨になっていた。

「相当降ってるわ。妙にあったかかったものね」

幸子はカーテンをしめ、

「寝ようかもう」

といった。あんまりその言い方が自然だったので、章史はついうなずきそうになった。

章史のもたれている壁の反対側に襖があり、そこが押入れらしい。

「ほんとに泊まるつもりじゃやなかったんだ」

「だって、この雨じゃ、今から外へ出るなんていやじゃない。泊まってきなさいよ」

幸子はこだわらず、さばさばした態度で、押入れから蒲団をひっぱりだした。

敷蒲団は一枚しかない。それを敷いて、

「手伝ってよ」

と章史にいい、洗濯屋からかえったままのシーツの糊をはがすのに、一方の端を章史にもたせ、敷蒲団にかけるのも手伝わせた。

掛蒲団をその横に敷く。シーツをかけた蒲団の上に毛布を二枚置き、自分のオーバーやジャケットを置き、裾の方に座蒲団を二枚重ねた。

「ここへ寝て」

「きみは」

「あたしはこれで柏にする」

いったかと思うと、くるっと掛蒲団で自分の体を巻いてみせた。

「それじゃ悪いよ、反対になろう」

「いいわよ、ほんとはひとつの蒲団にいっしょに寝ればあったかくて世話はないんだけど、あんたがこだわるからさあ、心配しないでいいのよ。あたし寝つきは早いんだから」

「着がえないのか」

「この中で靴下ぬいで、上衣とって、それでいいわ。電気消してね」

章史は肚を決め、いわれた通りに灯りを消した。窓の外のパチンコ屋のネオンが窓に反射してほの明るい光りがさしこんでいた。

章史は服を脱ぎ、シャツだけになって毛布の中にもぐりこんだ。

柏の中からは息も聞こえない。しんとした空気の中に、隣のいびきが時々波のようなうねりを持って聞こえていた。

どれくらいいたっただろう。

章史は今夜ここにいる自分が不思議で、ぼんやり長かった一日を回想していた。

低い声が蒲団にくぐもって聞こえてきた。

「寝た？」

「まだ」

「そっちへいってもいい？」

章史は、むしろほっとして、自分の毛布を持ちあげてやった。

幸子は掛蒲団を章史の上にひろげ、すっと章史の横にすべりこんできた。

抱きよせてやると、幸子は裸だった。愕いて反射的に身をひいた章史に、幸子の方から抱きつきながら、

「子供の頃から、こういう習慣なの、この方があったかいのよ」

という。幸子の手が章史のシャツを脱がしはじめていた。

「このまま、朝まで抱いていてね、何もしないでいいから」

肩のくぼみに、幸子の頭がしっくりとおさまっている。幸子は赤ん坊のようにからだを柔らかくして、章史にしがみついたまま、かすかな寝息をたてはじめた。

肌と肌にあたたかく血が通いあい、呼吸がひとつにとけあってくる。

幸子の頭と栄子の頭が、大きさが似ているせいか、章史はふと、栄子を抱いているような気がしてきた。ふたりで暮らしはじめた頃、栄子はいつもこうして章史の肩のくぼみに頭をよせかけて眠った。

男の腕は女の眠りを守ってやるためにあるのかと、章史はしみじみ幸福に感じた夜のあったこ

とを思いだした。

栄子はショートヘアだったが、幸子は長い髪をパーマをかけず、とき放している。

髪は幸子の肩をおおったあまりが畳にあふれていた。章史は珍しいもののように、あいた手でそれに触れてみた。なめらかで冷たい重い髪の感触が、ぞくっと章史の体の中心を走っていった。

手首にすくいあげ巻きつけると、髪はすぐあたたかくなり、手首から腕の根に回って、そのあたたかさがゆっくり這いのぼってくる。それはどこか淫らな感覚を伴っていた。

髪の一部は、幸子の軀の下にも敷きこまれていた。

章史は、髪が急に生きもののように思われて、髪が痛がって悲鳴をあげているような気がしてきた。

幸子の背の下から、ゆっくり髪をひきだしてやった。

「ううん」

幸子が甘い鼻声をだした。目覚めたのかと思って、はっと息をつめたが、幸子はそのまま、どさっと片脚を章史の脚に乗せてきて、ひとつ身震いをすると、もっとしっかり章史にしがみついてきた。

幸子が夢の中で、捨てられた男と同衾（どうきん）しているのだろうと、章史はあわれになった。あんな甘い可愛い声をだしていたのかと思うと妙に自分の軀が熱くなってくる。

動いたおかげで、敷きこまれた髪はすっと外へ引きだすことが出来た。

全部の髪は、密生していて多く、章史の掌にあまり一度に摑みきれなかった。

髪もそうだが、幸子の陰毛も濃くしげっていた。

栄子は、髪が染めたように薄茶色で、細くやわらかだった。下のしげみも、少女のようにうっすらとして、すべすべしたやさしい肉が白くすけてみえていた。それを章史はいとしいと思い、何がなしに、栄子の純潔のあかしのように思い、感動した。

栄子と結婚するまでに、数えるほどの他の女との体験はあったが、どの女も金を払えばなびく女で、章史が記憶したいような女はいなかった。

金を手渡す時、章史は女を侮辱しているより、自分が辱かしめられているような気になり、やりきれなかった。

一晩中、章史は熟睡出来なかった。幸子がいとしいとは思っても、手術したばかりの軀と知っているので、肉欲の対象にはならない。こわれ易いガラスの人形でも抱いているような気分で朝を迎えた。あけ方眠りこんだのか、幸子が寝床をぬけだしたことも知らなかった。

目を覚ました時は、もう陽が高く上り、カーテンはひいたままだが、布地の薄いカーテンを透して、冬陽がさんさんと部屋にさしていた。

「あら、もう起きたの、まだ早いわよ」

一瞬、自分の居場所にとまどっている章史の耳に、華やかな女の声がした。

髪をまとめ首の後ろで大きな髷にした幸子が、玄関脇のコンロ台の前から声をかけている。手を拭きながら部屋に入ってきた幸子は、昨夜とは別人のように爽やかな顔をしていた。薄く化粧もして、口紅までひいているようだった。

「御飯にする？　それとももう少し寝る？」

「いや、おきる」

　章史はいい、起き上がった。

　章史が蒲団をたたんでいる間に、幸子は手早く丸い卓袱台(ちゃぶだい)の足を起こした。

　味噌汁や卵焼きが並び、章史は子供が遠足にいっているような表情で、それ等に箸をつけた。

わかめの味噌汁が美味しかった。

　幸子もいっしょに食べながら、章史の顔を見ていった。

「何だか変だわ。こうして一緒にごはん食べてると、ずっと前からあたしたちこうして暮らしていたような変な気になるわ、ね、そう思わない？」

「今、ぼくもそう思ってたところだ」

　章史は答え、

「もしかしたら、前世で、こうして一緒に暮らしたことがあるのかもしれないね」

　とつけたした。

「前世を信じるの？」

「いつもそんなこと思ったことないのに、今ふっと、そんな気がしたんだ。自分の中に忘れてしまっている遠い遠い記憶があって、それがふっとよみがえってくることもあるんじゃないのかな」

「前世で、じゃあたしたちは何だったの」

「わからない」

「兄妹か、親子か、夫婦か、恋人どうしだったか、どっちにしても、仲はよかったんだわ」

「どうして」

「だって、仇どうしのような間だったら、こんなに今、お互いになつかしくは思わないでしょう」

章史はふっと、胸に灯をともされたような気になった。昨夜逢ったばかりの女が、なつかしいといってくれたのが心にしみた。

「おれの田舎へいっしょに来てみないか、ここはこのままにして」

幸子は箸をとめて章史の目をまじまじとみつめながらいった。

「行きたいわ、ここなんか引きあげてもいいのよ」

章史の仕事場に住みついて、幸子はまるでずっと前からここにいたように、何の不自然さもなく、ここの生活にとけこんでいった。

栄子の使った簞笥や鏡台がそのままあるのを平気で使った。

知らない間に栄子は衣類など運びだしてあったらしいが、それでもまだ、旧いセーターや、コートなどは残っていた。

着のみ着のままに近い幸子は、それも無造作に着た。最初は見覚えのあるそんな衣類をつけてあらわれる幸子の無神経さにどきっとさせられたり、腹をたてたりした章史も、全くこだわらない幸子の神経に負けてしまって、見馴れれば平気になってきた。

何より有難いのは、幸子が、掃除は上手とはいえないが、料理のうまいことだった。凝った材料を使ったり、手のこんだ料理をするのではないが、煮こみうどんや、カレーライスなど、仕事の間に食べたいものを、食べたい時に手早く作るのが上手で、これには文句なしに章史は感謝した。

幸子が来て一週間ほどたったころ、ひょっこり台所口から入ってきた小山くめが、

「あら、奥さん、帰ってたの」

といきなり声をかけた。入口に背をむけ、コンロの前に立って火加減を見ていた幸子がふりかえると、くめは、とびすさるようにして驚いた。

「まあ、ちがってたのね、ごめんなさい。奥さんのハーフコート着てたから、てっきりそう思ったのよ」

あわてていいわけしながら、くめはじろじろ幸子の全身を見上げ見下ろした。幸子はのんきな笑顔でいった。

「いいのよ、誰だってそう思うわね。これみんな栄子さんのだから」

ついでに膝のすりきれたコールテンのスラックスまでつまんでみせる。

「章史さんは?」

「今、ちょっと、荷づくりのテープ買いにいくって出かけたところ」

「ああ、そう。わたしは小山というもんでね、奥さんがいなくなってから、掃除や洗濯頼まれて

るんですよ」

「そうですってね。ちっとも顔みせてくれないので心配してたわ」

「風邪こじらせちゃってね、年をとると、風邪もなかなか治らなくて」

「もういいんですか」

幸子の喋り方があっさりしているので、くめもようやく親しみをみせてきた。

「まあお茶でもいれるから、上がって下さい」

「それじゃ、ちょっとね。わたしの出番はないようだね。すっかりきれいになってる」

くめはその間にもじろじろ部屋の中や仕事場に目をはしらせていたが、台所の椅子にすすめられるままに腰をおろした。

幸子がほうじ茶をいれ、油であげた手づくりの菓子を出した。

「おや、おいしいお茶だね、このうちのお茶はまずくてね、葉っぱが悪いから」

「これ、残ってた葉っぱをわたしがほうじたんですよ」

幸子がいったのに、くめが目をまるくした。

「へえ、悪い葉っぱがこんなに美味しくなるの？　ほうじるってフライパンで？」

「それでも出来るけど、ここのフライパン洗っても洗っても油臭くてだめなのよ。これでほうじたの」

幸子は身軽に立って、台所のどこからか目の荒いザルを持ってきた。その中に紙が張ってあり、真中が狐色に焦げている。

「この紙は障子紙が残っていたから使ったの、和紙のこしの強いのがいいのよ」

「へえ、おどろいたね、そんなに若いのに妙なこと知ってるんだね」

くめはほんとに愕きいったという表情でいう。

「おじいちゃんが、田舎のへっぽこ絵かきでね、ほら、墨で描く、水墨画っての」

「ああ、知ってるよ」

「ああいうの書くからお茶なんかに凝ってさ、自分でしっけたお茶なんかこうやってたの、それでうちではみんなほうじ茶のんでたの」

「ふうん、このお菓子もおいしいね」

「メリケン粉でわたしがつくったかりんとうよ。あんまり上手に出来なかったけど、蜂みつ入りだから味はいいでしょ」

「何でも出来るんだね」

「ここに来たら、することないからね、こんなことでもしないと」

「それで、何かい、奥さんの代わりにあんたが章史さんの嫁さんになるの」

幸子はからから笑った。

「やあだ。そんなのないわよう。ただ、ちょっと来ないかっていうから来てみただけよ。だって、奥さんいつ帰ってくるかわかんないでしょ」

「へえ、何だかあっさりしてるね。それじゃ、月給もらってお手伝いさんていうところ」

「そんな話何もしてないの。東京で偶然あって、わたしが東京に厭気がさしてたから、のこのこついてきただけよ」

「でも、まあ、居てあげて下さいよ。章史さんはぶっきらぼうだけど根はやさしいいい男だよ」

「そうね、そう思うわ。でも大変ね、焼物師って、もっと楽な商売かと思った」

「今は貧乏してるけど、いつえらくなるかわからないよ。この頃、ずいぶん高い焼物もあるからね」

「でもそんな高いもの買うひとってめったにいないわよ。安物の皿や茶碗つくるなら売れるでしょうけどね。小山さんは、ひとりぐらし？」

急に質問されて、くめは目をぱちぱちさせた。

「娘と息子がいるんだけど、嫁とあたしが気が合わなくてね、いっしょに暮らせないんだよ。この頃の嫁って、気が強いし威ばってるからね」

「息子さんは味方してくれないの」

「一人息子で甘く育ててしまったからね。嫁の尻にしかれっぱなしさ。根は悪くないんだから、がまんしてやってくれって、わたしに頼むんだからね。もう情けなくって。それでさっさと、こっちへ帰ってきてしまったのさ」

「いろいろあるのね」

幸子がくめの茶碗に茶をつぎたした。

「うちは亭主が南支で戦死して、息子と娘をかかえて、ひとりでがんばってきたんだけどねえ。息子は亭主が出征してから生まれたから、父親の顔しらないのよ。赤紙が来て、それっきり、何のしらせもないけど、三日後には戦地にいくそうだっていうので、三つの娘の手をひいて、おなかの大きな私が、夜通し歩いて、連隊のある町へ行ったのよ」

「どうして歩くの」

「乗り物なんかあるもんかね、その頃。里の母がいっしょに歩いてくれてねえ。あの時の辛さは忘れられない」

くめは顔を歪めて手の甲で目を横なぐりに拭いた。

「娘は疲れきって、もう歩けないとしゃがみこんで動かないのを、母が背負ってくれて、行くんだけど、その母がぜん息持ちで、ぜえぜえいって気の毒で……」

「それで逢えたの」

「やっとたどりついたら、たった今、駅へ出かけたというんだろ、もうあの時は夢中だった。どうやって駅まで走ったか覚えていないねえ。人波の中をかきわけ、かきわけして、泣きわめく娘の手を抜けそうになるまでひっぱってね。やっと、お父ちゃんの顔見つけた時は、声も出なくてね。それでも娘を抱きあげてやったら、娘がお父ちゃあんて叫んだのよ」

「映画みたい」

「お父ちゃんは声の方へ顔を向けたけど、私たちがわからなかったみたいだった。小さい人でね。終戦の前の年の十一月で、寒いのに重い荷物背負って、赤い顔から汗が滝のように流れているのが今でも目に浮かぶのよ……」

くめは当時を思いだしたのか、両掌で顔を掩ってうつむきこんでしまった。

　幸子が熱い茶をいれ直し、だまってくめの前に置いた。

「誰でもみんな苦労してるのねえ」

「あの時代は格別だったよ。今の若い人なんか想像もつかないね。お父ちゃんの戦死の報せが来たのは、昭和二十年の五月だった。もう少したてば戦争終わるのにねえ、もともと運のない人だったんだよ」

「おばさんいくつ？」

「六十七になったばかり」

「ふうん、それでずっと未亡人ですごしたの」

「子供かかえて、貰ってくれる人なんていないよ。そりゃ、長い歳月だもの、好きだっていってくれたり、こっちが好きだと思った人もないではないけれど、実際問題となるとなかなかね」

　くめのため息には重いものがこもっていた。

「根性が悪いから、近所の女房たちはくめさんのことよくいわないんだよ」

　と章史がいっていたことを思いだしたが、幸子は泣いているくめの顔を見ていると、根性が曲がってたって当たり前だ、こんな苦労したんだものと、かばいたくなった。

　その夜、幸子は章史の寝床にもぐりこみ、背中から抱きついて訊いた。

「ね、女房って肉親より身近なもの？　遠いもの？」

「どういう意味？」

「つまり、妻とお母さんは男にとってどっちが大切なの」

「そんなの比較する方がおかしいよ。おふくろは大切だけど、女房は可愛いし、結婚すれば、おふくろより心を占領されるのが普通じゃないかな」

「ふうん、母親ってつまんないのね」

「どうしてそんなこと聞くの」

幸子がぴったり背中に顔を押しつけているので、章史は壁にむいたまま寝返りも出来なかった。

「小山さんのおばあちゃんちのお嫁さんがね」

「お嫁さんて、息子さんの？」

「そう、大宮にいるらしいんだけど、うちは主人の稼ぎが少ないから、親子四人肉親だけが食べるのがせいいっぱいで、おばあちゃんの面倒は見られませんって、はっきりいったそうよ」

「ひどいやつだね」

「それで小山さんがあんまりだと思って、あたしは肉親じゃないのかって聞いたら」

「聞いたら？」

「わたしにとって夫と子供は肉親だけど、姑は別だっていわれたんだそうよ」

「無茶苦茶な話だ。自分の亭主はその姑から生まれたんじゃないか」

「ね、あたしだってそう思ったから、そんな嫁さん追い出しちゃえばいいっていったわよ」

「そうだな、でも小山さんの息子はどういうの」

章史はようやく、幸子の方へ向き直って、自分から幸子を抱きよせてやった。

「おとなしくて、お嫁さんのいいなりで、小山さんには、お嫁さんのいないところで、辛抱してくれって頼むんだって」

「何て腰抜けだ。呆れるよ。あの気の強いおばあさんにまたどうしてそんな女々しい息子が生まれたんだろうなあ」

「遺伝だそうよ。なくなった御主人がそれはおとなしい人だったんだってよ」

「人って、外からじゃわからないね、みんな何か抱えこんでいるんだな重いものを」

章史は何か別のことを考えているような目つきで、幸子の頭ごしに宙を見つめていた。手だけが動いて、幸子の軀に優しく触れてくる。

幸子が来て、何日めからそうなったか覚えていないほど、自然にふたりは軀で慰めあっていた。

幸子はあきらかに栄子とはちがう体質で、歓びの表現にも抑制がなかった。

最初の夜、章史は幸子の声の大きさに、思わず枕を幸子の顔に押しつけてしまい、

「殺す気？」

と幸子に恨まれた。

章史がここは窯場で隣が遠くてよかったと思わずいうと、幸子は一瞬きょとんとしていたが、突然、大口をあけて笑いだした。

「変わってるわね、どうして嬉しい時に嬉しい、辛い時に辛い、気持いい時にいいって表現して

悪いの、わたしたち生きてるんだもの、遠慮することないと思うなあ」

といぅ。章史は幸子の言い分に返す言葉もないまま、

「それでも人間は山の奥の一軒家にいるわけじゃないし、やっぱり恥ずかしいって気持もあるよ」

「恥ずかしいか……」

幸子は面白そうにつぶやいて、自分から残っていた下着をはぎとった。

くめにうるさくいわれて、ルルの避妊手術をしにいくことになった。

最初の日から、ルルは、幸子のまわりをぐるぐる廻っていたと思うと、すっとすりよって来て、膝に前足をかけた。

おずおずしたその動作に、

「まあ可愛い、あたしが猫好きだって知ってるのね」

といいながら手早く幸子が抱きあげてやると、素直に幸子の豊かな胸にしがみついてくる。栄子と幸子のちがいをどう思っているのか、別に栄子を探すふうでもなく、幸子の手から満足そうに食物をもらっている。

「情けないやつだな、あんなに可愛がってもらったのに、けろりと忘れて、別の人になつくんだから」

章史はいまいましそうにいう。

「猫は人につかないで、家につくっていうでしょう。人間より家が大切なのよ」

幸子は当然のようにいい、ルルをわが物顔に、ルルが悲鳴をあげて逃げだすほど抱きしめたり、後ろから近づいていきなり紙袋をかぶせたり、しっぽをつかんで乱暴に引っぱったり、自分流の可愛がり方でいじめているのか、可愛がっているのか、はたから見たらわからないような扱いをする。それでもルルは、幸子の後を追って、足にもつれるように軀を弾ませて一緒に歩こうとするのだった。

幸子は避妊手術など残酷で出来ないとずい分抵抗したが、

「それじゃ雑種の仔猫がぞろぞろ生まれて、誰が世話するんですか」

とくめにいわれて、涙をこぼしながらだまりこんでしまった。

「大体こんな世話のやける金食い猫を拾ってくるなんて、栄子さんは考えがなさすぎるよ。それでいて無責任にほっぽりだして逃げだしたりしてさ」

と、栄子の悪口に及ぶと、幸子がついに金切り声をあげた。

「おばちゃん、うちの猫や、栄子さんの悪口いわないでほしいわ。うちの猫だもの、わたし責任持ちます。ほっといてちょうだい」

「へえ、立派なたんかをお切りだね、ええ、ええ、どうぞ責任を持ってもらいましょ。もう二度と留守に猫の面倒みてくれなんていわないでほしいわね」

くめが、肩をいからせて帰っていくのを見て、章史が黙々とバスケットにルルをつめこんだ。

「あらっ、どうすんのよ」

「手術してくるよ、これ以上、仔猫生まれたら本当に面倒みきれないよ」

幸子がヒステリックに、

「知らない、知らない、章史のバカヤロー！」

と叫ぶのを聞き流しながら、章史は車で走り去っていった。

章史は一時間ほどしてひとりで帰ってきた。

「あらっ、ルルは」

幸子が飛びだして訊いた。

「今夜は熱が出るので、明日午後迎えに来いといわれた」

「それじゃやっぱり手術したのね」

「妊娠してたよ、あいつ」

「ええっ、妊娠？　それじゃ、もう仔猫がいたの」

「いや、卵巣でわかるんだそうだ。やっぱり手術してよかったって医者がいってた」

幸子は無言で台所へ立ってしまった。水音がじゃあじゃあする。幸子が泣いているのだと思って、章史はわざとすてておいた。

ルルが一晩出て帰らなかった夜の心配がつい昨日のように思いだされてくる。栄子につづいて猫にまで見捨てられたのかと、苦い想いを噛みしめて、一晩中ルルを案じて眠れなかったことを思いだすと、麻酔を打たれる直前、自分の方を見て首をのばし、「みゃあ」と切なそうに鳴いた時の、弱々しい金色の瞳が目のさきにちらついて、やはり哀れで胸が痛んだ。

幸子は機嫌が悪いというのではないが、その晩は黙りがちで、食欲もなかった。ルルの手術の様子は具体的に聞きたくないらしい。

章史はこういう憂鬱な幸子を持て扱いかねて、そっとして、自分は仕事場へ行き、夜なべをして明け方まで土と格闘していた。

仕事に熱中している時はいつもそうだが、幸子がいつの間にポットのお茶を運んできたのかも全く気づかなかった。

翌日は幸子に起こされて目を覚ました。

「お昼すぎ迎えにいくんじゃなかったの」

一瞬、何のことかわからず、ぼんやりしていると、

「ルルのお迎えよ」

と怒ったような声を出す。あ、そうだったと思い、章史は飛び起きた。まだ昼前だった。

顔を洗ってコーヒーだけのむと、章史は病院へ行った。

「順調ですが、弱っているし、麻酔のさめ方が少し遅いようです。二、三日したら、すっかり元気になりますから心配しないでいいですよ」

主人の獣医より愛想のいい細君が、薬をくれながら、窓口から慰めてくれる。

「いやにげんなりしてますが、ほんと大丈夫ですか」

「大丈夫ですよ。でもルルちゃんは人間でいえば、まだ、十五、六ってとこですからね。妊娠させて生ましたら、すっかり弱ってしまいますよ」

章史は妙な気分になって帰った。

幸子は籠からルルをすくいあげるなり、

「まあ、ルル、可哀そうに」

といって、泣きだした。ルルの腹は黒いふさふさした毛がすっかり剃られ、肉色の地肌があらわにむき出されている。その真中にべっとりと、切り口に絆創膏がはりつけられていた。

ルルは目をちらとあけて幸子を見上げたままで、すぐぐったりと瞼を落とし、じっと身動きもしない。見るからにだるそうで生気がなかった。やられて帰ったあの朝みたいだと、いいたいのをのみこみ、章史は、医者の薬を薬指につけ、無理に猫の口中に押しこんだ。

翌日も一日中、ルルは全く食欲をみせず、一番好きな整理簞笥の上に上って、まるくなり、縫いぐるみの猫のようにおとなしくしていた。身じろぎもしないので、死んでいるのではないかと、幸子は日に何度もルルの背や頭を撫でにいく。

「どうしてそんなにおとなしいの、気味が悪いよ、ねルル、しっかりおしよ。食べなきゃだめよ。あたしなんか手術した晩、ラーメン食べて、お酒のんじゃったんだから……」

幸子がしきりにルルに喋りかけているのを聞いて章史はおかしかった。

朝方、久美子から電話が入り、この前送っておいた深皿が、新しく建ったホテルのレストランのチーフの目にとまって、スープ皿に使ってみたいと注文があったから、すぐ作るようにといってきた。幸子が退屈しのぎに描いているクレパス画の子供のような絵からヒントを得て、絵つけをしたもので、自分でも面白いと思っていたから、章史は元気が出た。

「ビーフシチューやタン料理をいれると似合うっていうのよ」

「うちじゃ、肉じゃがなんか盛ったり、焼そばに使っています」

「ぜいたくね」

久美子も機嫌のいい声で笑った。百個単位の注文なので、やり甲斐もあるし、収入も大きい。

その話をしてやっても幸子はあまり意にもとめず、ただもうルルの容体ばっかりにかまけている。

「熱があるのかしら、あんまり元気がなさすぎると思わない？」

「今日一日はそんなふうだって医者もいってたよ。たぶん明日あたりから大丈夫だよ」

「だって、みてごらん、このすごい切り傷、おなかを縦にずばっと切りさいてるのよ。子宮とるのにこんなに大きく切る必要ないじゃない。人間の手術だって、子宮とるのなんか、ほんのちょっと切ればいいっていってるわ。この医者、藪か、さもないとするときっとサディストよ」

幸子の文句があんまり多いので、もう章史は相手にならなかった。

ふっと気づくと幸子の姿が見えない。二時間あまりも帰って来ないので章史はようやく心配になってきた。栄子の失踪以来、ふっとこんな時、嫌な予感に襲われるのだ。

もし幸子がこのまま帰らないとしても、栄子とちがい、自分の妻でもない女だし、流木がふっと流れ寄ったようなものなのだから、また波の加減で、つれ去られたと思えばいいのだと考えてみる。その下から、わざわざそんなことを考えつく自分に苦笑が湧く。

やはり気にしている証拠じゃないかと思う。幸子といる生活にいつのまにか馴れてしまって、空気のように早くもこの家にとけこんでしまっていた幸子の順応の速さにも、今更愕（おどろ）いてみるのだった。

　夕食の仕度でもしなければならないのかと、ぼんやり煙草をふかしていたら、あたふたと幸子が飛びこんできた。

　頭から雫が垂れるほど髪を濡らしている。

「どうしたんだ一体」

　愕いて章史が幸子をみつめた。肩も濡れている。

「外は雨なのよ。気がつかなかったの」

「え？　あ、そうか、全然気がつかなかった」

「いつもそうよ、仕事に熱中してると、雷が鳴っても知らないんじゃないの」

　幸子は陽気に喋りながら、タオルでごしごし頭をふき、着ているものを片っ端からぬいでいった。いつでも平気で章史の前で素裸になって着がえる幸子に、章史はまだ馴れることが出来ない。

「どこへいってたんだ」

「バスで町までいったのよ。猫の食欲が出るものを買ってきたの、薬局できいたら、人間の離乳食をやると一番いいっていったから、買ってきたわ」

「そんな馬鹿な、第一、猫の食欲のないことを人間相手の薬局に相談するなんて考えられないよ」

「だってそこは猫が大好きで三匹もいるんだもの。この前、風邪薬買った時、ちゃんと見ておいたんだから。またたび下さいっていったら、いろいろ症状きいてくれて、離乳食が一番いいっていうんだもの」

「まぁ、それで気がすめばいいよ。それでバス停から降られたのか」

「バスの中から降ってたけど、どうせ傘持ってなかったから、雨の中走ったの、ああ、おなかが空いた。でもルルに先に食べさせるから待ってね」

幸子はルルを抱きかかえて、スプーンから離乳食とやらのペースト状のものを食べさせようとする。ルルはいやがってなめてみようともせず、幸子の手を思いきりひっかいて、その腕の中から逃げだした。

「まあ、ひどい」

幸子はあわてて傷口に唇をつけながら、ルルを見かえっている。ルルはまた整理簞笥の上に登り、そこでまるくなって見るからにだるそうに瞼を落としている。

「今夜はそのままにしておいてやれよ、うるさくかまうからだ。自然に食欲が出るまでは無理だって。それより早く人間に飯を食わしてくれよ」

幸子はむっとした顔付きのまま、ものもいわず台所に入っていった。

章史は面倒なので、もう幸子にかまわず、夕刊をひろげて読みふけっていた。

「ハイ、どうぞ」

馬鹿丁寧な声をだして幸子が食事の支度の出来たことを知らせた。章史は自分で立ってウイスキーの残りを持ってきた。

食卓にはふかしたての肉饅頭と、シューマイが並び、章史の好きなザーツァイの皿もあった。幸子はいつもの和やかな表情にもどり、手ぎわよく水割りをつくってコップを合わせに来た。

「さっきはもう帰らないのかと思ってどきっとした」

「ほんと？　じゃ、わたしいつまでもここに居てもいいの」

章史がうなずく前に幸子がコップを置き、両掌で顔を掩った。章史の片腕がそんな幸子をひきよせていた。

昼月

杉本から電話があって、宮原は新橋の待合へ出むいた。杉本の行きつけの家で、女将と杉本がわけのある仲だと誰かから聞いたような気もする。宮原も女将のさっぱりした気っぷが好きで、よく人の接待に使うこともあった。

「お久しぶりですね」

旧い仲居が如才なくいって迎えた。

「まだ?」

「いえ、もうお見えです。二十分ほど前」

案内されたのは二階の小部屋だった。杉本が若い仲居に相手をさせ、もう酒をのんでいた。

「電話もらってすぐ来たんだけど、車が込んで」

「月末の金曜日だからな」

杉本は病院で逢うのとはちがうくつろいだ表情でいう。

料理が一通り運ばれた頃、女将が出て来て挨拶した。

「あら、宮原さん、ずいぶんお見かけしなかったですね、また外国ですか」

「いや、いろいろ忙しくてね」

「どうせそうでしょう。おもてになるんだから、聞いてますわよ」

「へえ、そうかい、相変わらずだね、こいつは中学生の時から、女難の相があってね、ほらいたじゃないか、お前に片想いで睡眠薬のんだ女の子が」

「よせよ、下らない話」

「あら、面白そうじゃない、それでその生徒死んじゃったんですか」

「いや、吐いて助かったよ。でも大変だったよ、当分その話で。遺書があったんだ遺書が」

「宮原さんあての？」

「そうそう」

「よせよほんとに、あの子はもともとおかしかったんだよ少し」

宮原は照れかくしに、

「ブランデーにしてくれないか」

と女将にいった。それをしおに女将が立つと、杉本の表情がすっと変わった。

「外でもないんだけど、奥さんからもう聞いたかい？」

「いや、何も」

「たぶんそんなことじゃないかと思って……」

宮原は、誰もいなくなったので、杉本に酌をした。

「向こうの病院から報告があって、奥さんどうやら手遅れらしい」

「手遅れって……」

「まあ、数字で示せば、1が一番軽いとして3だね」

「ふむ」

「2でも相当な手遅れなんだよ。どうしてあそこまで捨てておいたのかね」

杉本がさぐるようにいう。

「ずっと別居してるから、おれは知らなかったんだよ」

「そうか……あれじゃ、自覚症状が絶対あった筈だって、いってた」

「ふむ」

宮原はこの間逢った茜の目のまわりの黒い翳(かげ)をなまなましく思い浮かべていた。

「手術するしかないんだろうな」

「もちろん、出来るだけ早い方がいい」

宮原は茜を可哀そうと思う前に、面倒なことになったという気持の方が先にわいた。それを認めると、自分が嫌になって、暗い表情になる。杉本は宮原のその表情を、茜の病気を案じてだと素朴に受けとったらしく、

「自分より女房の病気がこたえるもんだよ、誰でもそうだ」

と同情した声でいった。噂は聞いていても、茜との夫婦としての長い歳月の方が杉本の記憶に

あるので、別居の感覚が身にそわないらしい。

「手術しても治るとは保証出来ないんだろう」

宮原は憂鬱な声をかくさずいった。

「もっと初期ならね。子宮ガンと乳ガンは最も治り易いから、患者にもいうんだよ。といっても、両方とも手遅れだと、どうしようもない」

「どうせだめなら、切らないでおけないものかな、よくいうだろう、切ると、広がるって」

「素人考えだな。第一、手術しないと、ますます進んで、臭くなるし、痛むし、どうしようもない。どっちみち、切るしかないな」

「転移する心配は」

「もちろんあるさ。もしかしたら、もう転移してるかもしれない。とにかく、きみが行って直接聞いた方がいいと思う。今のところ、患者には、はっきりガンとはいってないそうだ」

「しかし、自分じゃわかってるんじゃないかな」

宮原はこの間の茜の、不安定な情緒や言動のすべてがうなずける気がしてきた。

「いや、ありがとう、お世話になった」

宮原は律義に頭を下げた。

「人ごとじゃないよ。われわれの年になれば、いつ、かかっているかもわからない。やっぱり、健康診断はしておくべきだね。ところが丁度われわれの年代は、社会的には一番忙しい時だろう。わかっていて、つい見すごしてしまう。気がつくと後の祭りさ、ま、君も一度人間ドックに入れよな」

「そういう御本人はどうなんだい」

「ははは、紺屋の白袴、医者の不養生、昔から相場は決まってる」

杉本は豪放に笑いとばして、暗い空気を吹きとばすように、

「妓(おんな)を呼ぼうか」

といった。

「いや、今夜はやめておこう」

「そうか、それもそうだな、ま、のめよ」

杉本は、あっさり提案を引っこめ、宮原の盃を満たした。

まるで覗いていたようにタイミングよく、女将が顔を出した。

「もう内緒話はおすみになって？」

「ああ、もう終わった。女将もいっしょにのまないか」

「あら、嬉しいわね、じゃ、ちょっと」

この頃肥ったらしい女将が、もり上がった膝でにじり寄ってきた。

盃が行き交わされた後で、ふっと杉本が思い出したようにいった。

「そうそう、女将が手術したのはいつだったかな」

「え？　わたしの手術？　四年前ですよ」

「ああ、もうそんなになるかね」

「そうですよ、ほんとに年とると、月日があっという間にすぎてしまいますね。あの時はあんなにあわてふためいたのに、人間って咽喉元すぎればすぐ熱さ忘れちまうんですよね」

「どこの手術」

半分わかっていて、宮原は訊かずにいられなかった。

「女のガンですよ、きれいさっぱりとっちゃったの。そりゃ、まだ恋人もいましたからね、二、三日、眠れませんでしたよ」

「そんな時、まず彼に打ちあけるものかね、それとも一番後廻しにする？」

杉本が身を乗りだすようにして訊く。杉本と女将の噂は噂にすぎないと自分につげているつもりかもしれないと、宮原は思った。

「さあ、どうだったかしら」

女将は盃を持った手を、ちょっと胸に当てるような格好をして首をかしげた。

「やっぱり、一番はじめにいったみたいですね」

「そういうものかね、それで彼氏の反応は？」

「そりゃ、御家庭の御主人が奥さまから打ちあけられた時と同じものじゃないですかね。あわてず動ぜず、切れってきっぱりいってくれましたよ。いうまでは、男のいない方がよかったのにと思いましたけどね、打ちあけてしまうと、やっぱり男がいてよかったと思いましたね」

「のろけてやがる」

いつの間にか座が陽気になっていた。

「お医者さんは、何もとっちゃっても女は女なんだからっていってくれましてね、出来ないわけじゃないんだからっておすすめ下さいましたけどね」

女将は杉本に酒をつがせながら言葉をついだ。

「やっぱりはじめは、臆病になりましたよ。相手の感覚がちがってるのを、やさしい人だから、前と同じような顔してくれてるのかと気を廻したりしましてね」

「それで、女将自身の方はどうだった」

「何てことありませんよ。だって、おなかにそれがある時だって、相当激しくしたところで、別にそこがどうこうって事ありませんでしたよ。えらい女流作家の先生が、子宮がドキリとするなんて、いつかお書きになりましたわね。あんなの大げさですよ。ドキリもビクリもしやしませんよ」

細面の目もとの涼しい女が襖をあけて手をついた。

「あら、小せんちゃん、早かったわね」

女将が首を廻していった。女は、きゃしゃな軀つきに似合わずはりのある声で、

「宴会抜けてきたの、でもうすぐお開きだけど」

といいながら、杉本に目で挨拶し、すっと宮原の横に来て坐った。

この妓が杉本の女だったのかと宮原はさとった。物静かな小せんは宮原に酌をしておいて、杉本の方に顔を向け、

「この間の風邪薬、どうもありがとう、ほんとによく効きましたわ」

という。

「もうすっかりいいようだね」

「おかげさまで」

何でもない会話の中に、情緒がこめられていて、宮原は小せんに好感を持った。

「今ね、子宮で感じるかどうかって話をしてたのよ」

女将が杉本の酌を受けながら小せんにいった。

「え？　ずいぶん話が飛躍したじゃないか」

杉本が笑いだした。

「あら、そうだったかしら」

女将はすまして言葉をつづける。

「子宮の存在感について講義してたんでしたっけ」

小せんが宮原の盃を満たしておいて、さり気なく、座を杉本の横に移し、杉本に酌をした。

「子宮の存在感についてなんて博士論文みたい」

小せんがいう。

「胃や腸は、痛んだり、ふくれたりするから、ああ、そこにあるなって感じるでしょ。でもさ、子宮ってのは、痛くも痒くもないじゃない。ガンだと宣告されても信じられないわよ」

「だって自覚症状があるだろう」

「そんなの、よっぽどすすんだら、あるかもしれないけど、あたしなんかの時は、人のお見舞いに病院へ行って、そのついでに、ちょっと、健康診断しておいきって、知りあいのお医者さんにすすめられて、くめ次さんとふたりで、診てもらったんですよ。もちろん、普通の一日ドックみたいなつもりで、採血したり、血圧計ったり……そん時くめ次さんが、女将さん、ついでだから婦人科もいっときましょうかっていうんで、ついその気になったんです。そうしたら、ちょっと来いでしょ。びっくりしましたね、あの時は」

「でも運が強かったんだ」

杉本がいう。

「発見が早かったから、そんなにぴんぴんしてるんだよ」

「そうね、その時の検査で何でもなかったくめ次さんが、次の年心臓で嘘みたいになくなったんですからね」

「ま、妊娠した時だけだわね、たしかに子宮があるって女が感じるのは」

「内臓は切ったり取りだしたり出来るから、存在してるって証明出来るけど、心って困るわ、どこにあるんだかわからないんだもの」

小せんが酒に弱いのか、杉本の酌にはや目許を染めていう。

「そうね、でもさ、心が痛む時ってたしかにあるわよ。ええと、その時は、やっぱり、こう胸を押さえるじゃない」

女将はむっちりした右手で、ゆたかなふくらみのあたりを押さえてみせた。

「心はこのあたりにあるのよ」

「あら、あたしは、嬉しかったり悲しかったりすると、かっと頭に血が上って、どきどきしてしまうわ、だから心は頭にあるのかと思ったわ」

小せんが細い指でこめかみを押してみせる。

「まあ困っちまうわね、胸と頭か……物を考えるのはたしかに頭よね。でも感じるのは胸みたいな気がする。ぱっと一目惚れして、虫が好く人だと思うのは胸よ、どうしたって頭じゃない」

「どうやってくどいて、ものにしようというのが頭かい」

杉本がまぜかえす。

「何の話から、こうなったの……そうそう、子宮の存在感だったわ」

「悪くなった子宮は手術すれば治るけれど、病んだ心は切って捨てられないから、こっちの方が始末に悪いわね」

小せんはまだ心にこだわりたがっている。

「心だって手遅れってことがあるからね」

宮原がようやく口をはさんだ。

「心の手遅れ……まあいいことおっしゃるわね。あたしなんかいつだって手遅ればっかりよ」

襖の外から仲居が小せんを小声で呼んだ。小せんが会釈をして出てゆくと、杉本が女将にいった。

「宮原さんの知りあいが女将さんと同病でね、切った方がいいってことになったんだよ。それで、手術した方がいいって、経験者に発言してもらいたくてね」

「まあ、そうでしたの、それは御心配ですわね。でもガンはからだの下の方に下がるほど治り易いっていいますでしょ。大丈夫じゃございませんか」

「まだ若いからね」

「ああ、そうですか。若いと進むのも早いっていいますからね。でも、治す力もやっぱり年寄りよりはあるんじゃないですかね」

「ありがとう、とにかく、切らせよう」

「その方がいいと思うよ」

杉本がいう。

「それじゃ、その話もしてやりたいし、今夜はこれでお先に失敬する」

「そうかい、じゃ、よろしく」

杉本はあえて止めないという調子でいい、女将が立って宮原を送りに出た。

外に出ると、満月に近い月が高い空に懸っていた。車をことわって宮原は歩きだした。月を見たとたん、ゆかりの俤（おもかげ）が浮かんだ。

茜の病気を見殺しには出来ないと思うと、気分が重かった。戸籍の上ではまだ茜は自分の妻なのだ。

杉本は、茜の病気が軽くはないということを告げ、慰めてくれるつもりだったのだと思う。小せんの涼しい顔つきがゆかりに似ていたのだと今になって気がついた。

無性にゆかりを抱きたいと思った。

そう思う心の底から、病気と聞いても憐憫（れんびん）しかわかない茜が可哀そうにもなってくる。茜に手術の決意をさせることは思ったよりたやすかった。それは電話で数分だった。

「逡巡してる時じゃないよ、命はまだ惜しいだろう」

「惜しくもないわ」

「そんなやけっぱちをいうもんじゃない。きみは自分のしたいように生きてきたんだ。それなら終わりにも責任を持てよ、病気をかかえこんで死ぬより、切りとった方が美的じゃないか」

「わかったわ、焼き場の灰まできれいにしろというのね」

「そうだよ」

病室の空き次第入院するという手続きは宮原がとってやった。

麻美には話さないでくれと茜がいうので、宮原はそれも承知した。手術で死ぬようなことはあるまいという気持も持っていた。

入院したという報せを受けたのは、病室が空いた翌日だった。誰が入院を手伝ったのか宮原はあえてきかなかった。金だけは病院あて届けさせて置いた。

院長には逢いにゆき、病状の説明を聞いた。

「手術は一日も早い方がいいですね。病人にも、はっきり説明しておきました。乳ガンと子宮ガンは治るからはっきり説明して、覚悟してもらった方が治療し易いのです」

「手遅れでも治りましょうか」

「手術の結果を見てからですね。でもこのままにしておくと、悪化の一方ですから」

「入院の期間は？」

「うまくいって三、四ヵ月、長くて半年ですね」

「半年」

宮原はぎょっとなった。顔色が変わったのを見て、院長が平静な口調でいう。

「病人が帰りたがらないと思いますよ」

「どうしてでしょう」

「自分の体調に自信が持てないからです」

それで、治るのだろうか。宮原は心配になってきた。

病人にはそこまでは話さないと院長はいう。

茜から、検査は終わって、手術は明日だと知らせてきた。病院の手続きは全部宮原の名でしたし、茜は宮原の妻として入院しているのだから、手術の当日、付き添うのは当然だが、茜の男が付き添いたいだろうし、茜もそれを望んでいるのではないかと思い宮原は迷った。

「どうする。手術の日は来てくれるのかい」

宮原はさり気なく訊いてみた。

「え？　誰が？」

「手術には身うちが集まって結果を待つものだよ、彼は来てくれるんだろう」

「……来ないわよ」

「どうして」

思わず宮原の語気は強くなった。

「知らないんだもの、入院も手術も」

「どういうことだ」

「もうずい分逢ってないから、知らせる必要はないでしょう」

投げやりなすさんだ口のきき方に、茜の絶望がかくされていて、宮原はそうだったのかと、暗澹とした。

「それじゃ、ぼくが立ち会うよ」

「いいのよ、忙しいんでしょ。手術はどうせ麻酔かけるでしょうから、自分じゃその間じゅうわからないわ。来てくれても、手術室の中へ入れるわけじゃなし、ほんとに結構よ」

「うん、とにかく好きなようにする。そっちは気にしないでいいさ」

電話の向こうが森閑とした。泣いているのかもしれないと思った。

宮原は茜の恋の相手に逢ったことはなかった。逢いたいとも思わなかった。逢ってなじったり、けんかしたりするほど、茜の情事に心が騒がなかった。

何をしても面と向かってとがめようともしない夫にじれて、茜はほんの火遊びのつもりの情事に足をすくわれたのかもしれない。結局実のない男の浮気の相手になって、飽かれて捨てられたというのが現状だろう。

「付添婦はどうなってる」

「完全看護だけど、付添はいるのね。病院に紹介してもらった人が来てくれてる」

「はじめにチップを渡しておいた方がいいよ」

「あげすぎるとますます要求するから、あまりしないようにって、看護婦さんがいったわよ」

「検査は大変だったんだろう」

「そうね、でもあんなものじゃないの、もう廊下で知りあった入院患者がいろんなこと教えてくれるわ。あたしなんか、よほど軽いみたい」

茜の自覚のなさと、病気への無智に苛々してきたが、茜の声に力がないのがあわれだった。

「気分が悪いのか」

「入院して急に弱ったみたい」

茜の声の弱々しさに、ふっと素直なひびきが滲んでいた。

「とにかく手術しよう。明日は朝早くからいくよ」

宮原は電話を切っても憂鬱だった。愛しあった頃のどこか稚さのぬけきらない頼りない茜が思い出されてならなかった。早くに実母に死なれ、小学二年から継母に育てられた茜は、結婚で生家を出たことが何より嬉しいといっていた。迷い猫が拾われて安心したような甘えぶりが、その頃の宮原にはいじらしかったのだ。

いつまでたっても甘えのぬけきらない茜のまつわりつく愛が、仕事が忙しくなるにつれ、宮原はうとましくなっていった。冷淡にしたつもりはなかったが、茜の需めている愛の分量を、満たしてやったとはいいきれない。茜は結婚後幾年経っても、少女めいた愛の証しを言葉や性愛で需めたがる。

茜の心が飢えていたのに気づかなかったのか、気づかないふりをしたのか、宮原は重い心でかえりみた。

麻美にいつまで茜の病気をかくしておくものか、それにも迷った。手術で万一のことがあれば、麻美に知らせなかったことに悔いが残るだろう。

扶けてやって下さい、茜を。宮原は何かに向かって祈っている自分に気づき愕然とした。

手術は午後一時から始まった。宮原は午前中から付き添っていた。麻美には、茜が手術することになったとだけいっておいた。いっしょに見舞いたいといえば断れないと思っていたが、麻美は母親に逢いたいといわなかったので助かった。

「手術したら治るんでしょう」

「まあね、そう信じなきゃ出来ないよ」

「パパも大変ねえ」

麻美に他人事のように慰められて、宮原は苦笑した。

「学校にあたしがいる間に、おかあさんは手術が終わってるのね」

麻美がひとりごとのようにいう。

「でも、おかあさんがそんななら、また離婚出来ないわね」

麻美にいわれて、宮原はうんざりした。

化粧を落とした茜の顔は、かえって若く見えた。付添婦と宮原に見送られ、茜はストレッチャーごと手術室に吸いこまれていった。

「がんばるんだよ。ずっと居るからね」

宮原はストレッチャーの横までゆき茜にいった。茜はあきらめきったようなおだやかな表情でうなずいた。何かいいかけたが、声にならず、だまって目を閉じた。

白いスチールの扉の前でしばらく宮原は立っていた。こんな場合、やはり何かに祈りたくなる。宮原には信仰がなかったから、祈る何もないのに、昨夜そうだったように、宮原は静かに頭を垂れて、茜の手術が無事にすみますようにと、何かに祈った。

大体、三、四時間だと聞いていた手術は、三時が来ても四時が来ても終わらず、扉は一向に開かなかった。

廊下に椅子があり、そこで何組かの家族が待っていた。茜より先に入った患者の身内なのか、七、八人も来て坐りこんでいる。まるでお通夜のように重苦しい表情でしめりがちな雰囲気で坐っていた。ひそひそした声で、知人の消息の噂などしている。

五時頃、扉が開き、一台のストレッチャーが看護婦に囲まれて出て来た。

ざわめきが起こり、待っていた人々がなだれるようにその方へ駈けよった。

中年の女がストレッチャーにしがみつくようにして覗き、

「おとうちゃん、がんばったなあ」

と涙声で話しかけた。誰かがその肩を後ろから押さえこみ、ストレッチャーからひき離した。患者は、看護婦に囲まれたままエレベーターに吸いこまれた。人々もその横のエレベーターで消えていった。

廊下にもう宮原ひとりしかいなくなった。

六時が来ても茜は出て来なかった。

七時頃、看護婦がひとり出て来た。

思わず宮原はその看護婦の方に走りよった。

「大丈夫でしょうか」

看護婦は疲れがにじんだ表情で、

「手術は大変なようでした。でも、もう間もなく終わるでしょう。無事にすみます」

宮原はそれを聞くと、急にどっと疲れが出て、その場に坐りこみたくなった。

それから小一時間もの間、扉は依然として閉まったままだった。

宮原はあれっきり姿を見せない看護婦を探しに、受付を覗いたり、自動販売機でウーロン茶を飲んだりしてうろうろしていた。

考えてみたら、朝から何も食べていなかった。一向に空腹を感じないのは、やはり極度に疲労しているか、異常に興奮しているかだろう。看護婦はああいったものの、突然、手術の手順が狂って茜は死んでいるのではないかと、馬鹿々々しい妄想に取りつかれる。

茜をここで死なせるのは、何としても可哀そうだと思い、胸が重くなる。しかしその可哀そうだと思う心の中には、熱い愛はすでにないと認めざるを得ない。そう認めることでまた茜がいっそう哀れになってくる。

このまま、死んだ方が、自分にも見放され、男からも捨てられた茜にとってはむしろ楽なのではないかという思いがかすめて、ぎくっとなる。

縁起でもないことを思うのは、余程、この涯しもない待ち時間に疲れきったのだろうと宮原は重い頭を振った。

突然、廊下の向こうの白い扉が左右に開き、白衣の人々がストレッチャーを囲んで出て来た。宮原はそっちへ行こうとして、不意に脚がつり、歩けない自分を感じた。ストレッチャーが宮原の前に来て止まった。

「大丈夫でした。後で先生がお話したいといっていらっしゃいます。三階の応接室で待って下さい」

看護婦の一人にいわれ、宮原はようやく我にかえった。ストレッチャーの病人の顔を覗きこむと、血の気のない顔をして、茜は死人のように動かなかった。

三階の応接室に入ると、すぐ執刀した医者が手術衣のまま入って来た。

「どうもお世話になりました。長時間……何とも……」

宮原がぼそぼそいい、頭を深く下げるのを手で制しながら、外科医は、卓上に膿盆にいれてきたものを出した。小さな板きれに、するめのような白いものがぴったりとはりつけられている。

蝙蝠が翅をひろげたような形に見えた。それが摘出した子宮だと聞かされる。

よく見ると、白い膜のようなそれは、ピンで方々が板にとめつけられていた。中心から真二つにさいて拡げた形なのだと、次第にわかってくる。

「これが子宮です。これが膣です」

医者がピンセットの先で示すところを見ながら、宮原は思わず訊いた。

「膣って、膣まで来てたんですか」

「膀胱にもくっついていたし、リンパ腺にも移っていたから大手術だったんです。でもリンパ腺はきれいにとりましたから……これがそうです」

いつの間に並べられたのか、拇指ほどの小さなガラスの瓶がいくつも卓上に林立していた。

「これが卵巣です。固くなっていましたね」

黒い豆のようなものが子宮の上の方に二つ、ボタンのようにとまっていた。

片掌の下に全部収まってしまいそうな大きさだった。これが子宮。これが膣。宮原は縦にさかれてひらべったくなり翅の上にのびた鳥の首のように見えるその奇妙なものに気を奪われていた。

この小さな膣が、用を足すにたりたなど信じられないほどだった。

「卵巣が固いっていうのはどういうことなんですか」

「年をとると、ちぢまって固くなります。この方はまだお若いし、まだ瑞々しくていい筈なんです」

男がいた筈だからそんなことはないといいたい言葉をのみこんだ。

「これだけ取ってもらったんだから、あとはもう大丈夫なんでしょうね」

それだけは保証してくれといわんばかりにいった宮原に、医者はすげなく答えた。

「まだわかりません。これほどリンパ腺に移っていたら、転移していたって不思議はないですから」

「それはいつはっきりわかりますか」

「二、三日はかかりますね」

「こんなになるまで自覚症状がなかったなんて……」

「案外、女って鈍感だし……よくある例ですよ」

宮原は茜を可哀そうに思う前に、腹だたしくなってきた。

「退院はいつ頃ですか」

「まあ、様子を見ないとわかりませんね、半年以上長くなることはありません」

「ええっ半年？　そんなに長くかかるんですか」

「コバルトもかける必要がありますしね。そうなると、ずい分弱りますからね、そんなに早く退院出来ないんですよ」

「ふうむ、ま、仕方がないとして、それでも出来るだけ早く出られるようお願いします」

宮原は、自分より若く見える男に深々と頭を下げてしまった。

執刀の医師や、婦長や看護婦たちに、それぞれ謝礼を包んできたものを渡さなければならない。付添婦が閑をとってしまったというから、その手配も頼まなければならない。思いがけない用事が次々出てくる。こんなことなら麻美をつれて来て、泊めるんだったと後悔した。

今夜は病室へもどらないというので、宮原は一まず引きあげた。

病院の外へ出て、冷たい夜気にふれると、全身から急に力が抜けるような疲労感に見舞われた。目まいがしそうに腹が空いていることに気づいた。

銀座へ寄って酒でものみたいと思う一方、一刻も早く家に帰って、物もいわず、どっと自分のベッドに沈みこんでしまいたくなった。

家に帰ると、最近こちらに来ている麻美が玄関へ飛びだしてきた。

「どうだったの、おそかったわね」

不安そうな顔は血の気がない。

「大丈夫、無事に終わったよ」

宮原は麻美の肩に掌を置いて居間へ向かって歩きながらいった。

娘の軀に手など触れたことのない日常だったので、掌に伝わってきた娘の肩のまるみに、宮原は胸をつかれた。

「御飯は？」

「まだだ、とにかくブランデーをくれ」

麻美は、手早く、グラスとブランデーを運び、キャビアとカマンベールを切ってきた。母親よりずっとドメスティックだと、宮原は娘がいじらしくなった。

「あんまり手術が長くかかったので、心配したよ」

「そう……あたしも心配してた」

「でも、それはちょっと腎臓に癒着していたからで、丁寧にはがしたからなんだって」

「腎臓は大丈夫なの」

「大丈夫なんだろう、何ともいわなかったから」

「そんなこと、しっかり訊いてこなくちゃ」

麻美が怒ったようにいう。宮原はふっと頬がゆるんだ。麻美がもう一人前の女のように、不意に頼もしく見えたからだった。

「やっぱり上がってたんだよ、心配で」

「そうね」

麻美も照れたように口の端に笑みを浮かべた。唇の両側をちょっと吊りあげるその笑い方がはっとするほど茜に似ていた。どちらかといえば、父親似だと人にもいわれ、宮原自身そう思っていただけに、突然見せた茜に似た表情にショックを受けた。

「明日、あたし病院へ行くわ」

宮原はブランデーグラスを覗きこむようにして一瞬黙った。

「行っちゃいけない?」

「いや、行っておあげ、きっと喜ぶよ」

「喜ばないかもしれないわ。でも覗いてくる。心配だもん」

「何か麻美ものまないか」

麻美は立っていって紅茶のポットを持って来た。カップに紅茶を移すと、

「ちょっと、ちょうだい、それ」

という。宮原はブランデーを麻美のさしだすスプーンの中へ落としてやった。

「誰がついてるの今夜？」

宮原の顔を見ないで麻美がいう。

「付添婦だ。完全看護だけれど、やっぱり付添婦がいる。ここ、四、五日は二十四時間勤務に頼んでおいた」

麻美が紅茶茶碗を持ったまま、頬につうと涙を光らせた。

「ばかね、あの人」

宮原は、はっとして麻美の表情を見直した。あの人と茜のことをいいながら、麻美の口調は熱かった。

「あっちは来なかったの」

麻美から、そんな質問を受けることは、全く予想の外だったので、宮原は思わずグラスを取り落としそうになった。

「……だって、来る筈でしょう、いっしょじゃなかったの」

「来てたら、帰ってくるよ」

宮原はぐっとグラスをあおった。

「よその患者は、家族や親類の人たちにいっぱい見送られていた。手術の間、誰も彼等は帰らないで待っていたよ。人間が一人病気をすることは、大変なんだなあってつくづく思った。ママは、パパひとりに見送られて手術室に入った」

またまるい麻美の頰に光るものが流れた。

しばらく父娘はそれぞれの沈黙の中にひたって視線をそらせていた。

「もし……治ったら……ママをゆるしてやる？」

麻美が感情を抑えこんでしゃがれた声でいう。

「ゆるす？　そんな問題じゃない」

「だって、ママは不倫をしたわけでしょう。ママは男の人と暮らしてるんでしょう」

「ちがうよ、それは……ママはひとりで暮らしていた。恋人がいるかいないかは別として」

「………」

「それも終わっちゃったんじゃないかな……来てないところを見ると」

「でも……パパはゆるさないんでしょう」

「……だから、ゆるすとか、ゆるさないとかって問題じゃなくて……どういえばいいのかな、ママが出ていってから、パパの心にも変化が生まれたというのが正直かな……前のような気持を持てなくなった」

「病気で、誰も来ないママを見ても？」

「同情と愛はちがう」

「じゃ……パパが今夜ずっといてあげたのは」

「ヒューマニティじゃないかな、誰だって、目の前で、気の毒な人がいて、誰も扶けてあげなくちゃ、知らん顔出来ないじゃないか」

麻美はちょっと笑った。また茜の顔になった。

「そうか、ヒューマニティか、便利だね、その言葉」

「こいつ、親をからかうつもりか」

　宮原も笑った。

「麻美が明日病院へゆくのはヒューマニティじゃ困る」

「どうして」

「やっぱり愛で行ってあげてほしい」

「虫がいいのね」

　麻美の顔にようやく緊張のほぐれた少女っぽい表情がもどってきた。

「パパ、好きな人が出来たの」

「え？　どうして？」

　不意をつかれて、宮原は不覚にも首筋が熱くなった。

「ううん、ただ、何となく……パパ、この頃いきいきしてるもんね」

　今、いっそゆかりのことを打ちあけようかという想いが湧いた。宮原はその想いを抑えこむように、またグラスを口につけた。

「腹がへったな」

　宮原は思ってもいないことを口にした。空腹の筈なのに、空腹感は全くなかったのだ。

「あっ、そうだ。すっかり忘れてた」

　麻美は立っていった。すぐ濃い物の煮える匂いがキッチンからただよってきた。

「上田さんがボルシチ作ってあるの、それでいい？」

「ああ結構だ」

「黒パンもあるわ」

「ますます結構だ」

通いのパートの家政婦は料理が好きらしい。外食の多い宮原より、麻美の口にあわせて料理をするのも宮原は気にいっていた。

深皿にボルシチを盛り、運んできて、麻美は自分も小皿に盛ったそれを置いた。

「さっき食べちゃったけど、一人じゃ淋しいでしょう。お相伴してあげる。ね、もしね」

麻美が上目使いにスープ皿の上から宮原を見ていう。

「退院の時、帰りたいといったら、どうする？」

「うむ」

宮原はスプーンを下ろして考える目付きになった。

「ヒューマニティで、家にいれるってことはないかしら」

「それは、やっぱり問題だね」

医師との会話が宮原の胸に重くよどんでいる。手術は、出来るだけのことをして、成功とはいえるが、リンパ腺から、どこに転移しても不思議ではない状態だといったのだ。全治するとは保証してくれなかった。その口調はむしろ、転移を覚悟しろとさえいったように聞こえた。

そのことばかり考えて、茜の退院などどちらりとも考えたことのなかった自分にぞっとした。

「熱海の部屋にでも行って養生した方がいいね」

熱海には温泉つきのマンションを持っている。茜が出ていってから、友人がそれを建て、義理で一戸買わされていた。宮原より、麻美が友だち数人とよく週末から使っている。

もう麻美はそれ以上、茜のことは口にしなかった。そして突然、思いもかけないことをいいだした。

「あたし、高校はアメリカへやってくれない」

「え？　どうして」

「受験のためだけの勉強なんてしたくないのよ。向こうで高校も大学も出たいの」

「それでアメリカ人と結婚するのか」

「そこまで考えてないけど、そうなるかもね」

「どうしてまた」

「日本でいわゆるいい大学出て、いい家の息子と恋愛して結婚する……そういうベルトコンベアに乗ったような生活がいやなの、結婚なんて、ほんとはしたくないの、向こうでしっかり何か自分で出来ることを身につけて、結婚しないでやっていきたいの。悪いけどパパとママの結婚生活見てたら、もう沢山という気持」

春雷（しゅんらい）

電話の中にゆかりの声が入ってきた時、宮原はふいにいい匂いの花を顔につきつけられたような気分になる。

「今、どこにいるかおわかりになる？」

「え？　東京に来てるの？」

「そう」

ゆかりの甘い笑い声が耳の中にひびきわたった。

「東京のどこにいるかおわかりになる？」

「ううん、ええと……」

ゆかりの笑い声がいっそう甘く耳をくすぐってくる。

「おとなり」

「えっ？　ルドン？」

宮原はあっ気にとられた。画廊の隣の喫茶店は、客があった時、出前もしてもらっている。

「すぐ行く、いや、いらっしゃい、いや、やっぱり、ぼくがいきます」

何をあわてているのかと、宮原も笑い出した。

喫茶店の窓辺の席でゆかりが微笑していた。

抱きしめたい衝動を抑えこみながら、宮原はゆかりの前に坐った。カウンターの中で、宮原のためにコーヒーをひく匂いがただよう。

客は他に二組しかいない。ウィークデーの午後二時だ。毎日想念の中で愛撫している顔が目の前にある。宮原は両掌でその顔をはさみ引きよせたい気持で、包みこむようなまなざしになっていた。

ゆかりの顔が透明になったような気がする。肌の内側から光が滲みだしているように見える。

「まぶしい」

と宮原はゆかりにだけ聞こえる低い声で囁いた。ゆかりは聞きまちがえたかというような表情をした。

「顔が光で包まれているように見える」

ゆかりは素直に嬉しそうな表情をした。えくぼが頬に浮かんだ。ああ、この笑顔を見たかったのだと、宮原は深い息をした。

茜の入院以来の、重苦しい日々の疲れが、すっととけていくように思う。

「宮原さん、少しおやせになって？」

ゆかりがいった。

「老けたっていいたいんでしょう」

「まあ」

ゆかりは目をいっぱいに見開いて、唇を少しあけたまま、宮原を見つめた。光る歯並びの中に桃色の舌がもり上がっている。肉感的な誘惑を感じ、宮原は軀が熱くなった。

「どうしてそんなひがみっぽいことおっしゃるのかしら」

「すねてるんですよ。電話をかけても、ほとんどつかまらないし、手紙もくれないし……」

「まあ、それはあたしのいいたいことよ」

ゆかりの目の中には、言葉の抗議調とは反対のゆるしきったやさしさが滲んでいた。

「いろいろあって……逢って話さないと手紙では書ききれなかったんだ」

コーヒーが運ばれてくると、義理のように一口のんだだけで、宮原はもう腰を浮かせた。

「出よう」

ゆかりは抗わず、自分もハンドバッグを取りあげた。

「ゆっくり話がしたい。ついてきてくれますね」

宮原はゆかりを画廊に待たせて置いて、車を持って来た。

「横浜にゆこう」

「嬉しいわ、あたし海が見たかったの」

ゆかりは助手席に坐って、ゆったりと呼吸している。もう他人ではない男と女という意識は、ゆかりにはあまりない。宮原といることで、なぜか心が安らぐことが嬉しい。横浜でなくて、北海道へ行こうといわれても、ついて行っただろうと思う。

「中華料理にしようか、西洋料理にしようか」

「昨夜、中華料理だったんです。お客さまに御馳走になって」

「それじゃ、美味しいステーキでも食べよう」

宮原は茜の入院以来、まともに食事もとらなかったような気がしてきた。三度々食べている筈なのに、食事に身をいれて食べた気がしなかった。

高速道路は案外すいていた。

「逢いたかった」

宮原は前を向いたまま、ため息のようにいった。

「あたくしも……」

ゆかりも低い声でいう。

「きみの手紙を読んで気遅れがしてしまっていた。ずいぶんしっかりしているし、新しいんだなあって」

「でも、新人類から見ればもうおばちゃんですわ」

「それならぼくなんか化石人間ってところだ」

「何がそんなにおかしかったのかしら、結婚観？」

「うん、それもある」

「それから……」

「ぼくの家庭に無関心っていうこと」

「だって、それは仕方のないことでしょう。あたくしが後から割り込むのは僭越でしょう」

「そんなに、あっさり割りきれるものかな、感情っていうやつは、理窟じゃないんだから」

「もちろん、そうですわ、でも、誰かを好きになるのと、そのまわりのもろもろと関わりを持つのとはちがいますわ。あたくし、あまり独占欲ってないんです」

「それは多情だからだ」

「まあ、そんなの暴論ですわ」

「愛すれば、執する、執すれば、着する、執着あれば嫉妬する。これが原理です」

「何の原理？」

「愛の原理、ぼくが決めた原理」

「宮原さんは嫉妬深いんですか」

「もちろん……ただし、愛した場合だけ」

ゆかりは黙りこんだ。宮原が何をいいたいのか考えてみようと思う。

嫉妬されるようなものは何も自分にはないと説明するのも面倒だった。

博の場合を思い出す。博はゆかりを束縛するようなことは全くいわず、せず、嫉妬めいた言動をとられたこともなかったことに気づいた。むしろ、博は女にもてるし、誰に対しても博はやさしかったので、女たちはいつでも博のまわりを虹のようにとりまいていた。そのことにゆかりが嫉妬した。

「どうして誰にでも彼にでもそんなに愛想よくするのよ」

ゆかりがすねて責めると、博はびっくりしたような表情でゆかりを見つめ、

「まさか、妬いてるわけじゃないんだろ」

という。

「妬いてたら、どうするの？　妬いてるわよ。あたし以外の誰にもさわらせてやらないんだから」

「へえ、ゆかりがそんな妬きもち焼きだとは知らなかったな」

「………」

「でも、いいもんだね、好きな女に妬かれるっていうのは、何だか自信がつくよ」

「あたしのこと妬かないの」

「だって、ゆかりは今のところ、ぼくにぞっこんだもの」

「うぬぼれてる、ようし、浮気してやるから」

博はそんなの口先だけだというように、いっそう愉しそうな表情をしていた。

宮原がいうように、愛すれば執し、執すれば独占しようとして嫉妬するのが愛の原理だとすれば、博は自分を男が女を愛する愛し方で愛してはいなかったのだろうか。

だからこそ、あんなにあっさり、自分を捨ててひとり死んでいけたのだろうか。

「何を考えこんでいるんです。むずかしい顔して」

宮原の言葉にゆかりはふっと我にかえった。

「思いだしていたんでしょう」

「そう……わかる？」

「そりゃ、わかる。思い出している時は、きみの顔が、かさをかぶったお月さまのように、ぼうっとしてくるから」

ゆかりは両掌で自分の頬をはさんだ。月のかさをはらいのけるように強く頬を押していた。

「歳月が忘れさせてくれるっていうことを信じようとして生きてきたんですけど、もしかしたら、死んだら、魂っていうのは誰か生きてる人間の中に入りこんで、住みつくんじゃないかしら」

「そんなに、彼のことが心の中をまだ占領しているの」

「いいえ、占領してるわけではないの。でもどっかに、もし心に襞（ひだ）があるとしたら、菌みたいに、そのすみっこにしがみついて、根強く生きつづけてるような気がする時があるんです。たとえば……」

ゆかりは言葉を探すようにまた黙った。

「たとえば？」

宮原がうながしてやると、

「内臓に出来た腫瘍っていった方がわかりやすいかしら、あたしの栄養を吸いとって、ちゃっかり生きつづけている気がするんです」

「それなら切らなければだめだ」

宮原の口調は冗談めかしてからかっているように聞こえる。

「でも気持悪い時と、いとしい時と半々なんです。悪性腫瘍でも切りとってしまうにはしのびないような」

「それはやっぱり未練の変型だね」

「未練でしょうか」

「でもそこまで相手の身にも心にも自分を植えこむことが出来るなら、彼の自殺は成功だったかもしれない。妬けるねえ」

「あら、だって、存在しない人間に妬けるなんて」

「存在している相手なら、闘う方法があるけれど、ゴーストとは刺しちがえも出来ないしね。大体きみのような可愛い娘を残して勝手に死ぬなんて」

「そうお思いになる？」

「ぼくだったら、地獄の底まででも引っぱっていく」

「もう夢にもあらわれなくなったなあって、思っていると、ひょっこり、急になまなましい形であらわれてきたりするんです。やっぱりそんな朝は、心が騒いで落ちつかないんです。八年も昔のまんまの姿や顔で、あちらは全く年をとっていないのに、あたしひとり老けちゃって変な感じ」

「夢の中では、きみも昔のまんまではないの」

「いいえ、あたしは現在なんです。そこが夢ですわね。いつでも彼は爽やかな顔をして、幸福かいって訊くんです」

「それで？」

「幸福な筈ないでしょうって小さな声でいうだけ、自分でも口惜しくてよく涙をこぼしました」

「嚙みついてやればいいのに」

「そんな……あたし夢の中ではそりゃおとなしいんです。嚙みつくなんて」

「他人のことは無責任にいうけれど、実はぼくの方も、あまりにわかりきった結果が出て、この所、茫然自失の体たらくです」

　ゆかりはあらためて、宮原の横顔をちらっと目に捕らえて低い声でいった。

「御病人は？」

「手術は一応成功したというべきでしょうね」

「よかったわ」

「ただし、リンパ腺までやられていたから大手術で七時間もかかりました」

「その間、宮原さんずっとついておあげになったの」

「ええ、誰も他に来てやらないものだから」

　ゆかりは黙って顎を胸にひきつけてフロントガラスばかり見ていた。誰もいないということは、茜には恋人がいないということだろうか。

　宮原は黙りこんだゆかりの物想いを、ふたたび、死んだ恋人のことを考えているのだろうと想像した。

ゆかりは宮原の沈黙を、病気の妻の上に想いをはせているのだろうと想像した。ふたりとも互いをいたわりあって、いっそう言葉をつつしんだ。

「疲れましたか」

宮原が声をかけたのは、もう車が横浜の町へ入ってからだった。

「いいえ……うとうとしていただけ」

ゆかりは窓外に目をむけながら軀をゆすった。その拍子にゆかりの香水の匂いが宮原の顔をくすぐった。

抑えていた欲情が宮原の軀を熱くしてきた。

ゆかりに操をたてている気持など、意識していなかったが、京都でゆかりを抱いて以来、宮原は女に触れていない。そういう気持が起きないほど、ゆかりを想うと心が充たされてきた。もう忘れきっていた青春に、こんな気持があったように思う。

人は生涯に、幾度真剣な恋が出来るのだろうかと、新鮮な感情を見つめ直したくなる。

車が海辺の公園に面したホテルについた時、やや陽がかげりはじめていた。古風なホテルの二階のグリルは、夕食には少し時間の早いせいか、人影が少なかった。

宮原は窓辺に席をとった。目の下に港が見下ろせる。白い外国船が碇泊しているのが、大きな白鳥のように優雅に見える。

沖の方から、もうひとつ、白い船がゆったりと近づいてくる。

海は凪ぎ、夕映えに染まり、波が虹を流したように輝いていた。

公園の鉄柵の前で金髪の小さな男の子と女の子が追っかけっこをして遊んでいる。その子たちの家族なのか、乳母車を横に置いて、ショールにくるまった老女が編み物に余念がない。

「海が見たかったの、せいせいする」

ゆかりが尖った胸を突きあげるようにして窓を開き、海の匂いのする空気を吸いこんだ。

「可愛いわ、きっと双子よ」

宮原の方をふりかえっていう。

ボーイが持ってきたメニューを見ながら、宮原は愕いたように、

「え、双子がどうしたって?」

と訊く。

「ほら、あの公園でふざけあってる男の子と女の子、とても可愛いの、ね、双子でしょ」

「そんなことわからないよ、こんなに離れてるんだもの、どうして?」

「動作がそっくりなの、きっと一卵性双生児だわ」

ゆかりは妙に自信あり気にいい、ようやく席についた。

「あたし、双子の男の子と女の子が産みたかったんです」

ボーイがびっくりしたようにゆかりを見た。

宮原が葡萄酒と前菜のフォアグラを注文してボーイを去らせてからゆかりにいった。

「きれいなお嬢さんがいきなり双子を産みたいなんていうから、びっくりしていたよ」

「産みたかったんですわ、過去形の話です。しがないサラリーマンですから、子供はたくさん産めないと思ったんです。もちろん共稼ぎのつもりでした。一人っ子は可哀そうだから兄弟がほしい、どうせ二人育てるなら双子の方がいっしょに育てられて後が楽じゃないかなんて考えて……」

「これぱっかりは思い通りにいかない」

「そうですね、でも若い時ってどんな夢だって可能なような気がします」

「それはそうだ」

「好きな男の人の子供を産むことぐらい、女にとって幸せはないと思ったんです、その頃」

「今は？」

「今は、もうそんな情熱はさめました。むしろ、今みたいに白けた心で子供をつくると、まともな子供が出来ないんじゃないかって考えています」

「それは極論だけど、白けた気持っていうのは、一時的現象で、また本気で恋をしたら、その男の子供を産みたいって、女の人は思うんじゃないですか」

葡萄酒と前菜が運ばれてきて、料理の注文が終わると、ふたりはグラスを合わせた。ルビー色の葡萄酒をすかし眺めてから、ゆかりは一口酒をのんだ。

「ええ、たぶんそれがノーマルな女の神経だろうと思いますわ。でも、あたしは一度破壊されてしまって、もう夢が描けなくなってるんです」

「もう子供をほしくないということ？」

「そうですわね、あんまり、愛の上にいろんな欲ばった夢を重ねすぎたから、神さまの妬みを受けたような気がしますの。今はこれが愛だと感じたら、出来るだけ幸福になるまいと努力したがってるのかもしれないわ」

「もっとリラックスして生きていかなくっちゃあ、人生ってそんな堅苦しい、息がつまるようなものじゃない筈だ」

「たぶん、そうなんでしょうね、今は目の前の美味しいお料理をいただくことに熱中すること」

ゆかりはそういって宮原を額ごしに見上げて首をすくめた。

ナイフとフォークを使うゆかりの指の美しさが宮原の食欲をそそった。茜の入院以来、心から愉しんで食事などしたことがなかったと気づいた。

茜は手術の後、まだ食欲がなかったし、コバルトをかけはじめてからは、ほとんど食べ物を胃が受けつけなくなっていた。

美食家だった茜が、何も食べたいものがないといった時ほど、宮原は茜に憐憫(れんびん)を感じたことはなかった。

大好きだったパパイヤさえ、小さな一切れの果肉も受けつけなくなっていた。舌の上でとろけるこのフォアグラを茜はどれほど好んでいたことか。

食事をしている間に海は昏れてきて、いつの間にか月が上りはじめていた。

「外国へいったことがありますか」

沖の船に灯がともり、光でつづった船が影絵のようにゆっくり動くのを見ながら宮原はいった。茜の発病以来の疲労が、光の船を見ているうちに、急にあふれてきたように思った。外国へゆかりをつれて逃げだせたら、どんなにせいせいするだろうと、憧れのようなものが湧いてくる。

「ええ、事件の後で、外国へでもいけば少しは気がまぎれるかしらと思って、ツアーに入れてもらって、ただ運ばれていったんです」

「どこへ」

「フランスと、イタリーとギリシャ……月並みですけど、おかげで少しは気分がまぎれました。でも帰ってきたら、またそっくり前のまんまの悲しみにつれてかれてしまって……」

「ぼくはくしゃくしゃする時は、インドへ行くんです。ブータンなんか、おとぎの国みたいで、心が安らぎますよ」

「ええ写真で見たことありますわ、木造の家でしょう」

「そう、男は日本の着物そっくりのものを短く着ている。顔だって日本人にそっくりですよ」

「インドは前から行きたいんですけど、なかなかチャンスがなくって」

「今度いっしょにいきますか、カシミールなんかにつれていってあげたいな」

茜をインドへつれていった時、こんな汚い所は二度と来たくないといったのを思いだした。三日めから猛烈な下痢に苦しめられたせいもあったのだろう。インドは人を選び、気にいった人間は何度でも夢中になって訪れるようにしむけられるといわれている。ゆかりは、インドに魅かれるような気がする。

ゆかりを、カシミールの水の上に浮かぶ船のホテルにつれていったら、どんなに愉しいだろう。そう思うと、すぐにも実行したいような心のたかぶりが湧いてくる。

「何か、愉しいことを思い出していらっしゃるのね」

「どうして？」

「お顔にそう書いてありますわ……ほんとはうっとりしていらっしゃる」

「あなたとふたりで行けばどんなにいいだろうと想像していたからですよ」

食事の後、宮原はゆかりを部屋に誘った。

ゆかりは悪びれず、素直について部屋に入った。

案内したボーイが部屋を出るのを待ちかねたように、ドアに鍵をかけ、宮原はゆかりを包みこむように抱きよせた。

ゆかりはその時も、何の抵抗も見せず、宮原の抱擁に自分をとけこませていく。

決して能動的ではないが、全く受け身だけに終わるわけでもない。宮原の手が脱がせにかかる服や下着を、自分でもどかしそうにはぎとって、宮原をうながすように身を処した。

宮原はゆかりのあたたかさの中に包まれて身動きするのも惜しい気がした。自分がぐんぐん縮小して、全身でゆかりの胎内にすっぽり吸いこまれてしまいたいような誘惑を覚えた。ゆかりの子宮の中にのみこまれ、胎児になって身を縮ませている自分を想像すると、ほとびるような安らぎを感じてくる。その胎児が自分なのか、自分の子なのかけじめがつかなくなった時、宮原は強い衝動にうながされて、ゆかりを性急に攻めたてていた。ゆかりが熱い波のように宮原の下でうねり、咽喉をしぼりあげて細い鋭い声をあげる。宮原は大きくうねる波に突きあげられ、深く誘いこまれて、昏い海底まで引きずりこまれる。自分が舵を取っているつもりで、いつの間にか、ゆかりの思うままに舵を取られて、波に翻弄されている小舟のような気がしてきた。これまでの中で最も大きな波のうねりに突きあげられそうになった時、ようやく宮原は舵をしっかり取り直した。ゆかりが笛がさけたような声をあげ、激しく宮原にしがみついてきた。汗でぬめったふたりの皮膚が隠密な湿った音をたてた。

ゆかりの波は一挙にひき、柔らかな絹布をひろげたようにおだやかに静まっていった。閉ざして濃くなったゆかりの長いまつ毛の間から涙があふれ、目尻につたわって耳の方へ流れていく。わずかに開いた唇がふるえている。こみあげるものがゆかりの体内を駈けめぐるのか、しゃっくりをするように全身が痙攣した。幾度も幾度も深い痙攣が走る。

宮原はしっかりとゆかりを抱きしめてやった。腕の中のゆかりから、ゆかりの中にまだ駈けめぐっている官能の残り火が全身に伝わってくる。静まっていた宮原の体内の火が、ゆかりの熱風にあぶられたようにまた強く燃え上がってきた。ゆかりの波をなだめるのは、それしかないように、宮原はまたゆかりととけあった。

深い酩酊の渦に身も心もゆだねきって、ようやくその淵の底から浮かび上がった時、宮原はまだ忘我の淵からもどらないゆかりに激しい愛憐の情がこみあげてきた。こんな娘を不幸にした男の未熟さに腹の芯から怒りがこみあげてきた。どんなことがあってもゆかりを幸せにしたいと思う。

宮原はゆかりの首の下からそっと腕をひきぬき、バスルームから、かわいたタオルを取ってきた。真夏の赤ん坊のように、ゆかりの髪は根まで汗でしめりきっている。タオルで髪の地肌を拭いてやり、体中の汗をとってやった。かすかな身動きをみせただけで、ゆかりは死んだようになり、全身をどう扱われても、宮原のなすがままにまかせていた。

深い眠りがゆかりをさらい、やがてそのまま、やすらかな寝息をたてはじめた。寝顔は無邪気になり、覚めていれば、美人の分だけ年より老けてみえる顔に稚な顔がもどってくる。

宮原はゆかりの髪を撫でながら、ほほ笑んでいるようなゆかりの寝顔を飽かず眺めていた。神経が冴えて宮原は眠れなくなった。若い頃は女との性愛の後では、吸いこまれるような睡魔に襲われ、興奮して眠れないという女になじられたものだがと思いだすと、ゆかりの快さそうな深い眠りに対し、嫉妬めいたいらだちが湧いてくる。それほど年の差もないのに、何故か自分がずっと老けこんでいるような気がしてくる。

それでもいつの間にかうとうとしていたのだろうか、気がつくと、ゆかりはもう身ぎれいに化粧して、爽やかな表情をして窓ぎわのソファに坐っていた。

「何だ、もう起きちゃったの」

ゆかりは黙って首をすくめた。

宮原の眠りをさまたげまいとしてか、カーテンをひいたままにしているので、部屋はほの暗い。

「おいで」

ゆかりは素直にすっと歩みよった。宮原はゆかりと深くつきあうようになって、見かけよりもずっと素直で、男の意志に抗おうとしないのに気がついていた。見かけはゆかりよりも稚っぽく見え、つとめて若く甘ったれな口調や表情をつくりながら、芯は強情で、最後は自分の意志を通す茜とは対照的だと思った。

今、病気の茜と、健康体のゆかりを比較することは酷だと自戒しながら、つい、何かにつけ、心の中でふたりを比較している自分がうとましくなる。

ゆかりはベッドに近づくと、自分から顔をよせてきた。深い長い接吻がまた火をともし、ゆかりは宮原にベッドに引きあげられていた。せっかくとかした髪がたちまち乱れ、化粧は接吻におおわれてすっかりはげ落ちてしまった。

「まるでハネムーンにでもいってるみたいだ。我ながら他愛がないね」

ようやく静まった息の下から宮原がつぶやく。

「まだ結婚したくない？」

宮原は、ゆかりの堅くなっている乳首をもてあそびながら囁いた。

ゆかりは悩ましそうに眉根をよせ、宮原の指を払いのけそうにしながら、深くうなずいた。

「どうして？」

「だって……このままで幸せじゃありませんか……それに、御病人だっていらっしゃるし」

「ぼくは夫の役目と責任を、病気の彼女に対しては、ちゃんと果たしていますよ」

「うそ！　それなら、こんなこと出来ない筈だわ」

「義務と責任は果たしているけれど、それは、まだ夫という法律上の名義に対しての義務で、ぼくたち夫婦は、彼女が病気にならなければ、もう離婚の手続きが終わっていた筈なんだ」

「理由は何でも、とにかく、今はまだ奥さんがいらっしゃるんですもの、結婚話なんてするのは不謹慎で不潔だわ」

「じゃ、こうしているのは不謹慎で不潔じゃないのかい?」

「わたくしの場合はね、だって好きになったんですもの」

「好きになったら独占したいと思うのが人情だと思うけど」

「そうね、たぶんそれがノーマルなんでしょうね、でも怖いんです。結婚しようとすると、また突然、何かが起こって、失望するかもしれないのがたぶん怖いんだと思うんです。自衛本能かもしれないわ」

宮原は黙ってゆかりを抱きしめた。

「でも、あたくしが素直でなく、ちっともいうことをきかないと、宮原さんはあたくしをお嫌いになるかもしれませんわね」

「そうしたら、どうする?」

「……そうね、自業自得ですもの、あきらめるしかないのでしょうね」

「わかったよ、もう結婚しようなんていわないことにする。気のすむようなかかわり方でいいよ。こうして時々逢ってくれればいいことにしよう」

今度はゆかりが何もいわず、宮原の胸に顔を埋めに来た。宮原の胸に熱いものがしみとおってくる。ゆかりの涙が自分の胸を濡らすのを、宮原はいじらしいと思いながら、ゆかりをこわれもののように優しく抱いていた。

いつか、必ずゆかりの胸の暗い空洞を自分の愛で埋めてみせると、若者のような心の高ぶりがこみあげてくる。

京都へもっと出かける用事をつくらなければとも思うのだった。

ゆかりがもう一度シャワーをつかいにバスルームに入った間に、宮原は事務所に電話をいれてみた。

「お嬢さまが、今朝早くから、何度も電話をかけていらっしゃいました」

秘書の声がとがっている。なじるような口調になっているのが宮原の癇に障った。

「どこにいらっしゃると申しましょうか」

「こっちから連絡するよ」

宮原はとがった声でいった。有能な秘書だが自信のありすぎる口のきき方が前から宮原の神経に障るのだ。相手もそれを感じないほど鈍感ではないので、いつまでも一種の距離がちぢまらない。秘書は思いきって自分の女にしてしまうか、でなければ全く冷たい関係で事務的に使う方がいいよと、誰かがいっていた言葉を思いだす。

留守中にかかってきた電話の要件を、てきぱきつげてから、宮原が受話器を落とす一瞬前に向こうが受話器を落としていた。

家に電話をいれると、麻美は学校に出ていた。

「お嬢さまから、お電話があったら、すぐ病院に行って下さいって御伝言があります。お手紙もお預かりしています」

と家政婦がいう。最近替った家政婦は、茜のことを知らない。主婦がいないのは死んだのだと思っているのだろう。

宮原は電話を切って、何故か胸騒ぎがした。昨日、麻美が病院へ行ったのかもしれない。そこで何か起こったのか、あるいは茜の容体に突然の異変でもあったのか。外泊はめったにしないし、旅に出ても、ホテルの名やルームナンバーはいつでも連絡してあった。

昨夜は特別だった。

化粧をし直したゆかりがさっぱりした顔付きでバスルームから出てきた。

「どうかなさって？」

ちらと顔を見ただけで訊くゆかりの敏感さがうれしくもあり怖くなった。

「いや、ちょっと、病院の方で何かあったらしい」

「いけないわ、すぐ行っておあげにならなきゃ」

ゆかりが表情を引きしめていう。

病院にゆく前に麻美と連絡をとりたいと思うが、学校に電話するのも大げさすぎる。その時になって、どうして病院に電話することを思いつかなかったのかと、宮原は気がつきほっとした。何ということだ、やっぱり上ずっていたんだとおかしくなる。しかしゆかりの前で病院に電話をする気にはなれない。

宮原がとっさの判断がつきかねている時、ゆかりがいった。

「下でちょっとショッピングしてきます。その後、パーラーでお茶のんでますから、そちらへ迎えにいらして」

宮原が今どうしたいか、察してくれての行動だろう。ゆかりはす早く身支度して、ハンドバッグだけ持って外へ出ていく。ドアまでいって、引きかえして、宮原の首に手をかけ、つま先立って、接吻した。

宮原が抱きしめようとすると、その手の下をすりぬけて、す早く廊下の外へ出ていった。

宮原はドアがしまるとすぐ電話にとびついた。病院では、茜の入院している階の看護婦詰所になかなか電話がかからない。やっと婦長をつかまえるまで十分あまりもかかった。

宮原だと名乗ると、婦長が、あっというような声を出した。

「昨夜から御連絡していたんですが、どうしてもお出かけさきがわからないとかで……」

「申しわけありません、何か病人が……」

「ええ、ちょっと困ったことがおこりまして、自殺しようとなさったんです」

宮原は絶句した。

「くわしいことはお目にかかって申しあげますが、でも、とにかく、危ないところで、発見して、未遂に終わりましたからそれはいいんですが……」

「今、仕事で横浜にいるんです。すぐもどりまして病院へ直行しますから」

宮原は婦長の声の直後に受けたやりきれない気分を押し殺していった。

「もしものことがあれば、病院の責任にもなりますから、今、看護婦にも交替で見てもらっていますし、付添にもしっかりいってあります。でもこういうことを度々なさるようでは責任を持ってお預かり出来ませんので」

「申しわけありません。とにかくそちらへ伺って」

「そうお願いします」

婦長の声はそんな病人をかかえた宮原に同情するというより、病院に迷惑のかかる面倒な患者を引き受けたうっとうしさだけがきわだっていた。

新橋でゆかりと別れた。まだ仕事が残っていて、今夜は逢えないというゆかりの言葉が、どこまで本当かと思いながら、宮原は心のどこかでほっとしていた。

たぶん、病院の婦長との話し合いの結果次第で、今夜はとてもゆかりと安穏なデートなどしていられないという予測があった。

ゆかりは何があったかも訊かなかったし、帰りの車中も無口だったが、決して不機嫌ではなかった。鼻唄でも歌いたいのをがまんしている様子で、指先で膝を叩き、何かのリズムを追っているふうだ。

新橋で訪ねる会社があるのだといっていたので、いわれる通り駅前でおろした。

降りるとちょっと片手をあげただけで、さっさと人込みの中に立ち去っていく。思わず後を追いたいようなみれんを断ちきって、宮原はゆかりと反対の方向へ車を廻した。

病院では病室へゆく前に婦長に逢った。

応接室へ通される扱いも、ものものしかった。

肥った婦長は入ってくるなり、立ち上がろうとする宮原を手で制した。

「大変ですね、いろいろ」

電話の声より、ずっと物やわらかな感じで宮原をいたわるようにいった。

「こっちがいいたいことです。ほんとにとんでもない御迷惑をおかけしたようで」

「あのこんなこと伺うのは筋じゃないんですが、宮原さんは奥さんと別居していらっしゃいますの」

「はい、あれが申しましたか」

「ええ、わたしだけにだと思いますけどね。こんな真似されちゃ、困るって、わたしが怒りましたら、別居中で、もう離婚も手続きだけのようになっているあなたに、これ以上迷惑かけたくないなんておっしゃるものですから」

「…………」

「病人は気が弱りますと被害妄想にかかり易いものですからね、時々、小説みたいな身の上を自分に思い描いたりするものですから」

「しかし、彼女のいうのは本当なのです。それも、自分のいいだしたことでして」

「そうですってね」

どうやら、茜はこの訊き上手の婦長に洗いざらい自分の恥を打ちあけてしまったようだ。

「神経科に廻した方がいいかもしれませんね、一種のノイローゼで鬱状態ですからね、それに一度やり損うと、またくりかえすって危険があるんです」

「どんな方法を選んだのでしょうか」

「ベッドの手すりに紐をかけて、自分の首に巻いて、ベッドからずり落ちたんです」

「そんな、ばかな」

「たまたま、看護婦が、見廻りの時間じゃなかったんですけど、虫が知らせたというのか、ふっと覗いたんです。付添さんが、家で急用が出来て帰っていましたからね」

「付添はいなかったんですか」

「付添さんは時々、急用だといって帰りたがります。決まった手当ての他に期待しますから」

「わかりました。

いつ、そんなことをしたんですか」

「昨夜です。夜十時頃看護婦がお部屋を覗いたのです」

その頃、自分はゆかりとすでにベッドに入っていたと宮原は思った。

「昼間は、どなたか……お嬢さんが見えていたって看護婦がいっていました。とてもよく似ていらっしゃるので娘さんでしょうって」

「娘です」

麻美は、もしかしたら茜から不安なものを感じとり、それを自分に早く告げたかったのかもしれないと思う。

「ほんとにいろいろ御迷惑をおかけして申しわけありません」

宮原は深々と頭を垂れた。

「今日は落ち着いているようですから、あまりそのことについてはおっしゃらない方がいいと思いますよ」

「やっぱり、病気を悲観していうことでしょうか」

「さあ、自殺の動機なんて複雑ですからね、口や筆で表わせないことが人生にはまだ色々ありますでしょう」

婦長の肥ったまるい顔の中で、細い目がきらりと光った。宮原はただうなずくしかなかった。一見平凡に見えるこの婦長も、人生の中で、口にも筆にも出来ない複雑な心の経験をいっぱい噛みしめて生きてきたのかもしれなかった。

「自殺なんてするのは正気じゃないとわたしは思っているんです。いく分ノイローゼになっているにちがいありません」

「病気はほとんど絶望的なんでしょうか」

「それはまだわかりません。何しろ大変な手遅れでしたからね。でも一応は取るだけは取ったんですし、まだコバルトかけたりしますから……ただ手遅れだったことは確かですから」

「本人はそれを知ってるんでしょうか」

「決してそうは誰もいわないんです。でも何となく不安なんでしょうね。とても軽く思ったり、日によってはとても重く思ったり色々するんだと思います」

宮原は、それはそうだろうと、やはり茜があわれになった。

病室に入ると、茜は壁の方にむいて眠っていた。ノックを軽くして入ったが、ふりむこうともしない。

　眠っているのかと思って覗きこむと、大きな目をあけていた。

「どうだい」

　声をかけると、びくっとふりむいた。

「いつ来たの」

「今、眠っているのかと思った」

「麻美が来たわ」

　平静な声でいう。さっき婦長から聞いたことは、みんな嘘だったのかと思うような落ち着いた表情だった。

「そうだってね」

「何かいってた？」

「いや、忙しくて、昨夜おそかったので、まだ逢ってないんだ。テーブルに、逢ってきたと走り書きがあっただけ」

「きれいになっててびっくりしたわ」

「毎日見ていると、気がつかないが、そうかね」

「だんだんあなたに似てくるのね」

　茜の目の中にやわらかな光が滲んでくる。

「そうかな、ぼくはこの頃、どうかした拍子に、どきっとするほどきみに似ているなと感じることがあるけど……それに人もそうよくいうよ、この頃……」

「いいえ、唇を引きむすんで、何か言おうとする前の表情なんか、あなたそっくりよ……それに長い指の形と耳がね」

宮原は茜が麻美の全身を眺めまわした熱い視線を感じ、胸が熱くなってきた。

「何かいってたかい？」

「そうね、別に話らしい話ってお互いにしないのよ。何だかおかしいのね、照れちゃって……でも、ぶっきら棒だったけど、あの子はやさしかったわ」

よかったねといおうかいうまいかと思った時、茜がいった。

「あなたの娘なのに、あの子は芯はあったかいのね」

宮原はえ？　という声をのみこんだ。

「どういう意味だそれは」

茜は天井を向いた顔を動かさず、すらっと横目で宮原の顔をうかがい、視線を天井にもどすと、一語々々ゆっくり吐きだすようにいう。

「あなたは表向きとてもやさしかったわ、丁重にわたしを扱ってくれたわ、パーティーでも劇場でも、コートは着せかけてくれたし、エスコートしてくれる態度もスマートで抜け目なかったわ」

何をいいたいのかと宮原は茜の次の言葉を待った。

「でも、本当は芯の冷たい人よ」

「そいつは心外だね」

「いいえ、覚えはある筈よ。ほんとうに心の熱い人なら、妻の不倫を平気で見過ごしたりするものですか」

宮原はあっ気にとられて茜の顔をみつめていた。口紅を塗っていない茜の唇は、ぼってりと肉が厚く、子供が何かをほしがっているように、可愛らしくつき出している。

宮原が娘時代の茜の容貌の中で一番魅力的に感じた唇だった。

今、色あせた唇は下唇にたて皺が増え、つき出されている分だけ下品な感じがした。

丸みのあった首の肉が落ち、麻美が似ていないというもともと薄かった耳の肉はもっと貧しげにやせていた。乾いた貝の肉がへばりついているようで醜くさえ感じる。

目だけは二重瞼がまだくっきりと鮮やかだが、いきいき好奇心に輝いていた光はもう失われていた。

「ずいぶん、あなたにわがままいっぱいして迷惑ばっかりかけてきたわね。でもわたしがほしかったのは、あなたの心の底のあたたかさだったの。いつ頃かしら、あなたの心が見えなくなったの。あなたの本来の怒りや悶えを見せてほしくて、あたしは悪いことばっかりしたんじゃないかしら」

茜の意外ないい分に宮原はあっ気にとられて、怒ることも忘れていた。全くいいがかりとしか思えない茜の論旨は、どこから出てくるのか。

「あたしは辛かったのよ、あなたに殺してほしかったわ。骨が砕けるほどぶたれたかったわ。取り乱してほしかったわ。そうでもしなければ、どんどん遠ざかっていくあなたの心が見えなくなっていたのよ」

「いいがかりだよ、それこそ」

宮原はやっといった。

「ほらね、そのいい方よ。冷静きわまる、落ち着いたその口調、たまらないのよ、それが……」

「ようやくわかってきた。きみはぼくのことを感覚的にきらいになってたんだ。物のいい方とか、食べ方とかが癇に障るのは感覚的嫌悪だよ、もうどうしようもないな」

「そうじゃないってば。でも、こうして面と向かって言い争いなんか、ほとんどしたことなかったわね、あたしたち」

「はっきりいうとね、コキュにされた男は口を開けば開くほど不様になるんだよ。ぼくの美意識で辛うじて、打ちこわされたプライドを守っただけだ。それくらいは、当事者のきみにはわかってた筈だと思うよ」

宮原は次第に自分の言葉に怒りがあふれ、相手が、どうせ助からない病人だというたわりを忘れかけていた。

「あたしがああいうことをする前の問題なんだけど、もういいわ……少なくとも今、あなたは本気で怒っているから……病院がしらせたでしょ、昨日あたしのしたこと……とても叱られたわ。でも、本気だったの、甘えた狂言はよせって、気の強い婦長に叱りとばされたわ。でも狂言なんかじゃなかったの、狂言なら、手首切ったり、薬のんだりすると思うわ。確率が一番高いって知ってたから、首を吊ろうと思ったのよ。体力がないから、この部屋でやろうとしたのよ」

「助かってよかったよ、まだきみは戸籍上のぼくの女房なんだ。男に捨てられたからってそんな馬鹿な真似したら、亭主のぼくにどれだけの迷惑がかかるか、わかってるのか」

「男に捨てられたから自殺するんじゃないわ、あたしはとっくに精神的に自殺してたのよ、うちを出た時から」

「いいわけはきみらしくないよ。少なくともあの当座きみはいきいきしてたし、恋に酔って若がえってもいた。そんなことは亭主のぼくの目が一番確かに認めている。それは言いわけの仕様がない筈だ」

「そうかもしれないわね、だってあの頃、彼は少なくともあたしに好奇心を持っていたものね。女はまっ直ぐ男から見つめられればきれいになるのよ。今まであたしが死ななかったのは、麻美のためだけよ、あの子に逢いたかった……自分のしたことは自分で始末つけようとはじめから思ってたの」

センチメンタルもいい加減にしろと、どなりつけたい言葉を宮原はぐっとのみ下した。

「麻美はもう大丈夫よ、あの子はあたしなんかより大人だわ、母親の死なんかでへこたれないわ」

そういう茜の瞳は、乾いていた。

柳はみどり

宮原は病院を出ても真直ぐ家に帰り辛かった。まだゆかりが東京のどこかに居ると思うと落ち着かない。どうして今夜の予定をもっとくわしく聞いておかなかったのだろうと悔まれる。

咽喉がひりひりするほどアルコールが欲しかったが、やはり麻美の伝言で度を失っていたのだと思う。

麻美がゆっくり二階から下りてくるのと丁度出逢った。どこへも寄らず家に戻った。

「帰ってたのか」

麻美の堅い表情を見て、宮原は声をかけた。

「病院に寄ってきた?」

「うん、麻美が来てくれたって喜んでいたよ」

家政婦が茶をいれるのを待ちきれなく、宮原はサイドボードからブランデーをとりだし自分でついだ。

着がえをするのも億劫だった。ふいに疲れがどっと出て、目の奥がきしきし痛む。宮原は一口ブランデーをのんでから掌で顔を掩った。目の疲れを掌で押さえるつもりだったが、麻美は泣いているのかと愕いたらしく、

「どうしたの、ね、どうしたの」

と怯(おび)えたような声をかけた。

「目が痛かったんだ。疲れ目だよ」

昨夜はほとんど眠っていないことを思いだした。疲れが出ても当然だった。ずっと爽やかな顔を曇らせなかったゆかりの若さを改めて思った。

「変じゃなかった？　あの人」

麻美が宮原の前のソファに沈みこむように坐り、両膝をたてて、両手でその脚を抱いた。行儀が悪いぞと軽くいいたかったが、声が咽喉にからみつきそうで宮原はだまった。

たしかに麻美は茜のいうように美しくなっているとはじめて思った。娘としてもう成熟した軀つきをしていた。指の爪をきれいに手入れしている。一番母親に似た唇がふっくらとつきだし濡れていた。

「変って……麻美には変だったのか」

「そうよ、とても……きれいになったわね、男の子はいるのなんていきなりいったり、もう大丈夫ね、そんなに大きくなったんだもの、なんていったり……」

「それだけじゃ変と思えないね」

「だって、それが家出した母親の久しぶりで逢った娘にいう言葉かしら」

「そういうふうに感じる麻美を、ママはまだ掴みきれていないんだ。軀つきは成長しても、子供時代の麻美がママの記憶にあるんじゃないかな」

麻美は家政婦のいれて来た紅茶をのみながら、どこか空を見つめている。

「あの人、死ぬんじゃないかしら、ね、そう感じなかった」

「病気でか？　いや、死なないよ」

「うそ、死なないなんて保証出来ないわ。誰にも出来ない筈よ」

「とにかく手術したんだもの、一応きれいになってる筈だ。ただし、内臓のひとつをそっくり採ったんだから、全快までには時間はかかるさ」

「そんなこと訊いてるんじゃないって」

麻美が突然高い声をだした。その声に宮原は記憶がある。

麻美が茜のように思えてどきっとした。茜がこれと同じ声で叫ぶようにいったことがあった。何に苛立っているのか、事毎に自分につっかかっていた頃だ。あの頃、そういうヒステリックな茜を持て余し気味で、逆らわない様、刺激しないようにと努めるうち、次第に茜をうとましく思いはじめていた自分に気がついた。宮原は、その頃、決まった女がいたわけでもなく、ただ仕事が面白くて、ヨーロッパやアメリカを駈け廻っては、絵を買い集めていた。

結婚以来、茜の外に情事の相手にはこと欠かなかったが、家庭を破壊してまで恋を貫こうと思うほどの女には出逢わなかった。バーの女でも、向こうが情をからめてくるようになると、深みに入るのを恐れて遠のいた。

そういう自分の態度を、ずるいとも思っていなかった。大人の情事とはそんなものだと考えていた。知人の中には、情事に足をすくわれて、家庭が修羅場になっている男もいたが、智恵のない奴だと軽蔑していた。

茜はそういう自分の熱中しない程のいい暮らしぶりや、生き方に苛立っていたのだと、ようやく気がついてくる。

宮原は空になったグラスに無意識にブランデーをそそぎ、口に運んでいた。

今、目の前で叫んだ麻美の心情がわかるような気がした。

「もしそれが麻美の直感なら、当たっていたんだよ。やっぱり、麻美には血と血で感じあうものがあるのだろうか」

宮原がひとりごとめいて低くつぶやくのを、麻美が息をつめるようにして見つめている。

「ママは、麻美が帰った後で自殺を計ったらしい」

麻美の顔はさっと血の気が引き、つづいてみるみる上気して、首まで赫くなった。

「もちろん、未遂に終わったけれど、そういう気持だったことは確かだ。さっきまで病院にいて、大丈夫だから帰ってきた」

麻美が手をのばし、坐り直して、ブランデーをついだ。その動作がひどく静かで、宮原は一人前の女にふと慰められているような感じがした。

「ショックを与えまいと思って、出来れば麻美にはかくしたかったんだ」

「昨夜から、あたし、感じてたわ、それを」

「虫が知らせるということもあるのかな」

「そうじゃないの、病院で逢ったママが、絶望してるような感じがしたの」

「………」

「あたしの顔を見て、いろいろいうんだけど、視線はあたしの上を乗りこえて、どこかを見ているようだったのよ。何だかとても可哀そうな感じがしたの、幸せじゃないんだなって思った」

「そんなふうに麻美が成長してるなら、ママはもっと心を開いて話せば楽になったかもしれない」

「だめだと思うわ、人間って、人に慰められないくらい辛い時ってあるんじゃない……そんな顔をしてたわ、あの人……」

あの人というのはよさないかといいたいのを、宮原はのみこんだ。

目の前の可愛らしい顔をした自分の娘が、正体不明の大人とも子供ともつかぬ怪物になり変わっているような気がして、宮原は愕きの目を見開いたままだった。

「捨てられたのね、きっと」

麻美は平然といった。宮原の方がどぎまぎして、とっさに言葉がでなかった。

「捨てられたって？」

「家を出た時の恋人に捨てられたのよ、絶対そうよ」

「それは麻美の想像か？　それともそうママがいったのか」

「そんなこという筈ないじゃないの。でもわかるわ、だからあんな絶望的な顔してたんだと思う」

「麻美は、ママが出てゆく時、幸福になるなら自由にすればいいっていったんだよ」

「そうよ、今だってそう思ってるわ。でもあの人は負けたのよ、運命の女神に見放されたのよ」

「まるで他人事のようにいうじゃないか」

「だって、あたしだってパパだって、いろんな不自由や、都合の悪さをしのんで、あの人の自由を認めて送りだしたわけでしょ。あたし、友達なんかが勝手に想像してひそひそ話してるほど惨めでも可哀そうでもないのよ。でもやっぱり、そりゃ、いろいろ不便だったわね。いるべき人が急にいなくなったのは、パパだってそうだったでしょ」

宮原は低く笑った。

「何で笑うのよ」

麻美は傷つけられたように、ちょっと色をなしていった。

「いや、何、麻美があんまり他人事みたいに、冷淡に分析するからさ、実は病院でさんざん、冷たいって責められてきたんだよ」

「パパが？　冷たいって？」

「うん、そう、冷たくなければ、ああいう時、もっと本気で怒るとか、断じて止めるとか、悲しがるとか、方法がある筈だっていう」

「勝手ないいがかりよ」

「そう思ってくれるかい？」

「当たり前よ、あの場合、パパがぐずぐずいったら、もっとあたしたち惨めになってたわよ」

「ママは、パパがとっくに見切りをつけていた癖に、そうじゃないみたいな顔をして、ママをいたたまれなくしたっていうんだ」

「うん、一見尤もらしい話ね。でもそれ、全く当たっていない話でもないみたい」

「おい、おい、妙なところで、突然、裏切らないでくれよ」

宮原はわざと明るい声をあげて笑った。

「裏切るつもりじゃないけど、十年以上もいっしょにいた夫婦の間なんて、娘にわかる筈ないでしょ、わかったら気味悪いでしょ」

「そりゃ、そうだ」

「だから、どっちにも公平に見て、ママのいい分も一理あるんじゃないかと思ったのよ。パパって、絶対自分を崩さないでしょ、取り乱したりしないでしょ」

「だって男だもの」

麻美は照れたような表情をして、父親から目をそらせた。男というなまの言葉が、肉感的で皮膚が反撥したのだった。宮原はそのことがわからず、つづけていった。

「男の美学ってものがあるんだよ。男は女のようにめそめそしたらみっともないじゃないか」

「男、男って威張らないでよ。そういうのがママを苛立たせたんだと思うな。男のメンツの方が、家族の神経より大切なのよパパは」

「家族、家族ってこの頃はやり言葉みたいにいうけれど、その方がよっぽど神経を苛立たせるな。家族ったって、パパとママは元は他人だ。夫婦なんて、他人どうしが一緒になって暮らすんだもの、絶対の理解なんてないんだよ」

宮原は突然、大人っぽい顔や口吻をする麻美に、今夜は対等の話をしたくなっていた。それが大人気ないことだと思いながら、いつの間にか酔いを深めたブランデーの力を借りて、宮原は娘に向かって饒舌になっていた。

「人間がどだい理解しあえるなんていうのが思い上がりだ。男と女の間には、絶対越えられない川があると思ってた方が確かだな。いずれ麻美も男を愛するようになるだろうが」

「男、男って、いわないでよ、きらいっ、そんなことば生ぐさいわ、じんましんが出そう」

おやっというように宮原は目をみはった。

「それは悪かったね。なまぐさいか……なるほど、麻美の感覚が正常なんだろう」

麻美のというのを、処女のといいたいところを、宮原はいい変えたのだ。男という言葉に全身で反撥する麻美の清純さから、宮原は麻美の処女性の清らかさを感じとった。

中学生から、今時の子供は性の遊びを知っているなどという世間の話は、少なくとも麻美には及んでいないと思う。そう思うことに一種の安堵感があるのを、宮原は笑止だと思った。

「いい直すよ、悪かったね。いずれ麻美も、異性に対して愛情を持つようになるだろう、つまり恋人を持つだろうということだ。その時も、あるいは結婚してからも、決して、男を頭のてっぺんから足の先まで理解しようなどという無駄な努力はしない方がいい」

「そんないい方って親らしくないわ」

麻美は言葉とは反対に、ひどく興味を持った表情で、父親の顔を正視していた。

「そうかもしれない。でも今夜は麻美を自分の娘としてでなく、一人のレディーとして対等に話しているんだ。ママにもこういう風に本気で話せばよかったのかもしれないが……」

宮原はふいに言葉をつぐんだ。思いがけなく、胸の底から茜に対する哀憐(あいれん)の情がふきこぼれてきた。理解しようとしたこともなく、理解し難い存在としてしみじみ考えたこともなく、ただ、どうせ話しあってもわからない、ひたすら、女っぽい女としてだけしか扱わなかった自分の愛し方が、茜を淋しがらせたのだと、今になってわかるのだった。

瞼の中が熱くなったのをかくして、宮原はまたグラスを口に近づけた。目をあげると、麻美がじっと正面から目を据えて宮原を見つめていた。宮原はかくしようもない涙を麻美の目にさらしながらいった。

「ふいにママが可哀そうになった。死ぬほど淋しいってことは、あかの他人だって同情せずにいられないことだからね。恋人の許へ走ったんだから、満足して暮らしていると思っていたんだよ。皮肉でなくそう思っていた。あれじゃあんまり惨めすぎる」

「退院してきたら、ここへ置いてあげる？」

宮原は言葉につまった。今の茜には退院後自分のマンションに帰るか、ここへ帰るしかないだろう。おそらく退院しても一年以内には再発するのではないか。その間、健康人のような暮らし方は出来ないだろう。引きとって面倒見てやるのが正当なのだろうが、今の宮原にはそのことが重荷だった。茜が今、そういうところに追いこまれているのは、自業自得で、今日の茜を見捨てたところで、誰からも自分は責められる筈はないと思う。なまじ同情して、いやいや茜を迎えたが最後、文字通り茜の最期は引き受けなければならないだろう。

宮原は、今はゆかりを愛している手前も、茜を引き取るのはいやだった。茜を引き取ればゆかりは当然だといい、

「それは当たり前ですわ、だって奥様なんでしょう。もし、引き取るのをこばむようなことをなさったら、わたくし、宮原さんを嫌いになると思いますわ」

とでもいうにちがいないだろう。しかし、引きとった後、ゆかりはおそらく電話もかけてこなければ逢いにも来ないにちがいない。

宮原の家庭とは無関係だといいながらも、病人を抱える宮原に同情するようなことは決してないだろうと、宮原はゆかりを見ていた。

「やっぱりいやなのね」

麻美が低い声で嘆息するようにいった。

「顔にそう書いてあるわ、あたしがパパの立場だったらやっぱりいやでしょうね。でもあたしは自殺なんて甘えてるよと腹をたててるんだけど、やっぱり、ずたずたになってるママを見てあげたいの、パパがいやだったら、別居してもいいわ。ここであたしがママと暮らすか、ママのマンションへあたしがいくか……どっちみち、経済的にはパパにおんぶしなきゃならないけど」

麻美の口調がしっかりしているので、宮原はかえって気分が白けてしまった。頼もしいと思う

前に、可愛げがないと思う。これでは恋人も出来ないのではないかと案じられる。

「わかったよ。でもまだ、今日、明日のことじゃない。もうしばらくは病院だ。その間にしっかり考えておこう。もう遅いから寝なさい」

麻美はまだ話したいことがあるように、ぐずぐずしていたが、宮原がもっと酔いたいように、ブランデーをつぎたす手許を見てから立ち上がった。部屋へ引きとろうとしてドアまでゆきふりむいていった。

「外の人と結婚したいんでしょう」

ぎょっとして、とっさに返事につまった宮原を尻目に、麻美はさっさとドアを閉めてしまった。

麻美はゆかりのことを知っているのか、いやそんな筈はない。少女特有の勘で、何となく父親のまわりに女の匂いを感じとっているのだろう。

それとも、画廊の秘書が……ドアに消された麻美の表情が摑みどころがなく、宮原はとりとめのない想いに沈みこんでいった。

女に心をしぼりあげられるような想いなど、全く忘れきっていた感情だけに、ひとりになると、たちまち胸いっぱいを占めてくるゆかりの俤に、息苦しいほどの切なさがつのってくる。

昨夜自殺を企てた妻に対してこうまで冷淡でいながら、つい最近知りあったばかりの女のことしか考えられない自分の心が宮原は不気味だった。

電話のベルが鳴った。

今頃また病院で何かがおこったかと、受話器をとると、甘い声が入ってきた。

「まだ起きていらっしゃった？」

ゆかりの声に宮原は急に、全身の細胞がよみがえるような気がした。

「どこから？」

宮原は上ずりかすれた声で性急に訊いた。

「ホテルです。たった今、帰ったところ、少し酔っています」

声に艶があるのはそのせいなのだろう。ちょっと間ののびた話し方が、端整すぎるゆかりの近より難さをやわらげている。

誰とのんだのかと訊くのも野暮らしいと思うものの、やっぱりそれが知りたかった。

「仕事先の人と、四、五人で、わいわいのんで、疲れたけど抜けられなかったんです」

旧い男友だちと二人きりでなかったと聞いただけで、宮原の心はなごんだ。

「今からぼくが出かけようか」

「今から、それは無理よ」

宮原が無理なのか、自分が無理なのかわからない。

「だって……もうほんとに、ふらふらなんですもの、昨夜の今日でしょう？」

その声には、宮原だけにしかわからない意味がこめられている。

「そうかな、きみの方は全然こたえてないように、元気いっぱいに見えたけど」

「いやだ！　そんなこと……」

ゆかりの甘えた少し蓮っ葉な声が、ぞくぞくするほど宮原を喜ばせる。

昨夜ほとんど眠らせなかった激しい夜を共有した思いが、心にも軀にもたちまちよみがえってきた。

「抱きたい……今……」

声をひくめていった。

ゆかりの声は聞こえなかった。沈黙の甘さが宮原を愛撫するように包みこんでくる。

「あいたい……今、すぐ」

「……でも今日はもうだめ、明日六時台の新幹線に乗るんですもの……それより、病院の方は、如何でしたの」

ふいに宮原は現実の重苦しさに引きもどされた。

「面倒なことが起こっていて、でもあなたに話すことは、心配をかけるだけだから」

「御容体のことではなかったのですね」

「ええ、まあ……」

「お聞きしてはいけなかったのね。それじゃおやすみなさい」

ゆかりの声が堅くなったようで宮原はあわてた。

「気を悪くされたら困る……実は、自殺未遂だった」

「えええっ」

ゆかりが電話の中で絶句した。

宮原はやっぱりいうべきでなかったかと気分が重くなった。

「未遂って」

ゆかりの弱々しい声がようやく聞こえてくる。

「看護婦が発見してくれて、とにかく大したことなくて、もう全く平常にもどっている。心配しないで下さい」

どんな方法でなどは、決していうべきでないと、宮原は心に決めた。

「奥さまは、宮原さんを愛してらしたのね」

ゆかりが自分にいいきかせるようにいう。

「そうとはいえない……と思う。彼女は別のことで、絶望していたんだと思う。病気はその絶望感に追い打ちをかけたようなものでしょう。そんな内輪のことなど、あなたには無関係のことだろうし……」

「お気の毒だわ」

皮肉にとられたかもしれないと思ったが、宮原には他に言葉が見つからなかった。

ゆかりがため息をつくようにいった。

それは心の底からという響きがあって、宮原は胸を打たれた。

「どんな理由があるにせよ、自殺しようと思いつめる人の苦しみは、わたしたちには想像出来ないほど辛いものだと思いますわ」

宮原はうかつにも、ゆかりが自殺者を恋人に持っていたことをつい忘れていたのだ。自分の舌を嚙みたいように後悔した。やはり、疲れと、茜の騒ぎで心が動転していたし、麻美との話でも、心がかき乱されていたのだと思った。平常心を失っていたのだ。しかしそれは今更いいわけにもならない。

「悪かった。あなたの神経をいたぶるような無神経なことをいってしまった。許して下さい」

緊張して、言葉が他人行儀になる。

「……そんなこと……あやまっていただく筋なんかありませんわ」

ゆかりの声も堅くなった。

「いや、悪かったよ。可哀そうな人に、思い出させるようなとんでもないことをいってしまった」

「可哀そう？　わたしが？」

「そりゃそうでしょう。あんな目に逢ったんだもの」

「ちがいます。可哀そうなのは、死んでいったあの人ですわ、死のうとしたあなたの奥さまです。わたしやあなたは全然可哀そうなことないんです」

ゆかりは宮原の後の声を聞かずに電話をたち切ってしまった。

ベッドに軀を打ちつけると、涙がどっとあふれてくる。しばらく、声をあげて泣いた。こんな泣き方は久しぶりだった。泣いているうちに、泣き声や泣きじゃくりに自分が次第になだめられているような、甘い気持がもどってきた。子供の頃、わけもわからずすねて泣いて、母の膝にしがみついた時の、母の軀のぬくみがふっと思いだされてくる。

博との他愛のない口げんかがこじれて、収拾がつかなくなった時も、ゆかりは甘えて泣いた。

「泣くとほんとに子供っぽい顔になるね。知ってる? ゆかりの寝顔と泣き顔って、ほんとに子供っぽいんだ。おきてる時はきれいさがノーブルなのに、寝顔と泣き顔の可愛さったら、全然別人なんだよ」

「おきてる時は憎らしいっていいたいんでしょ」

博とそんな寝物語をしたこともあった。

「セックスするのと、ふたりで一晩じゅう抱きあって眠るのとは、うんとちがうんだね。男が女をしみじみ自分のものだなあって思えるのは、セックスした時なんかじゃなくて、いっしょに夜を共有して眠って、朝を迎えた時じゃないかなあ」

そんなことをさも大発見のように、博がいったのも思いだした。

宮原と共有した夜の濃密さは、まだ軀のすみずみに残っている。そこを突けば強い芳香が滲みだしてむせかえるのではないかと思う。少なくとも宮原といた間、博のことは全く思いださなかった。この頃、一日のうちに一度も思い出さない日があるのにも慣れていた。

歳月が人の記憶を薄めるものなら、自分にとって、忘却とは、恩寵(おんちょう)か劫罰(ごうばつ)か、どちらに当たるのだろうと、ゆかりは目を閉じて考えこむ。瞼の裏に浮かぶのは、八年前の爽やかな博の笑顔や、つつみこむような目の光や、一番ゆかりが好きだったプロフィールだったりする。あの頃から自分は確実に年を加えているのに、博の俤が一向に年をとらないのが奇妙でならない。博が宮原の年齢まで生きていたら、どんな容貌になっていただろう。

「髭はやしてみようかなあ」

「あら、いやだ、およしなさいよ。せっかくいい顔なのに、かくすことないじゃない」

「おれの顔って、味がないだろ、整ってるだけで甘くていやなんだ。もっと老けてみられたいんだよ」

そんな他愛ない会話がなぜ今ふいに思い出されるのか。宮原の口髭にそそられた官能のうずきが今、またなまなましくよみがえってくる。

宮原の別居中の妻が、病院で自殺を企てたということが、鞭のようにゆかりの背を打ってくる。自分とは全く関係ないと考えようとしても、ゆかりの心に落とされた黒い影は消えそうもない。

宮原と妻の別居の理由についてあえて訊きたがらなかったものの、ふともらす宮原の言葉の端端から、宮原の妻が他に恋人を持ったらしいということは想像出来ていた。開かれた自由な女なのだろうと、勝手に決めていただけに、その女が自殺を企てたということがゆかりにはショックなのだ。夫や家庭をかえりみないで自分の恋につっ走れる強さを持った女なら、何があっても生きぬいていく力は持っていそうに思う。

自殺者は自殺するという企ての中で、何かに必死にSOSを出しているのかもしれない。誰かがこの計画に気づいて止めてはくれないかと願っているのかもしれない。博も宮原の妻も、理由はそれぞれにちがっていても、何かに絶望していたという点では一致するのだろう。

宮原の妻が夫と子供と富を手にしながら、尚その上、恋人まで持ち、絶望したとすれば、恋人を失い、夫の許には帰れない所に追いこまれたとしか考えられない。それでも宮原はまだ夫らしく、病院にもかけつけ、どうやら費用も出しているようなのに。

――そんなことじゃないのよ――

ゆかりは疳高い女の声を耳許に聞いたように思った。

――そうだとも、そんなことじゃないんだ――

その声は博だった。

「じゃ何だっていうの、あなたたちは、自分の死んでゆく神経だけをいたわって、他の人の神経がそのことでどんなに傷つくか思いやりもしないのね」

――そんな余裕があれば、誰も死のうなんて思わないさ――

――そうですとも、どうせ話したってわかってくれもしないくせに、後になってそういうだけよ――

疳高い女の声がヒステリックに博の声につづく。

――人間は結局自分のことしか考えないんだよ。最後は自分の神経をいたわるだけだ――

「愛は理解だってあなたがいったのよ」

――そう思ったこともあったけれど、あれは幻想だった――

「じゃあたしたちは言葉も通じないほど理解しあえていなかったっていうの」

――そうだと思うなあ……男と女の間なんて、どうしても越えられない川があって、両方の岸から手をのばしあっているようなものじゃないかなあ――

「ちっとも生きてる時、そんな気ぶりもみせないで、卑怯よ」

——卑怯って叫んだね、やっと……それでいいんだよ、ゆかり——

電話のベルが鳴っている。

泣き寝入りしていたのだろうか。

ゆかりはまだ耳のあたりに博の声がまつわっているような気分で、受話器をとった。

「起こしてしまったかい？」

宮原の声だった。

「さっきのままじゃ眠れない」

「ごめんなさい。興奮して……もういいわ、心配しないで、おやすみなさい」

それ以上、もう話したくないと思い、ゆかりは相手が受話器を置くのを待った。

「何だか機嫌の悪い声に聞こえるなあ」

宮原がみれんらしくいい、電話を切ろうとしない。

「明日朝が早いから少し眠っておかないと」

ゆかりはたまりかねていった。宮原に悪いと思うけれど、今は早くひとりになってもっとじっくり、今見た夢をなぞり、博をなつかしんでみたかった。

「気に障ったことをいったのだろうか」

「いいえ、あなたとわたくしでは、自殺しようとする人の神経について、全く感じ方がちがうんだなって思っただけなんです。それでももし、奥さまが、未遂でなかったとしたら、あなたは、そんなにのんきにしていらっしゃれないと思いますわ」

つとめて平静な声を出そうとして、かえってゆかりは自分の声が咽喉にからみつくような気がする。

「……のんきなつもりではないが……」

宮原の声も感情を抑えこんだ暗い声になっていく。

「また、京都からお手紙しますわ……今度はほんとにいろいろ有難うございました」

丁寧にいうと、わざとらしく冷たく聞こえる。

「じゃ、疲れてるようだから……」

宮原の方も乾いた声になって、ようやく電話がきれた。

ゆかりはほっとしてベッドの上に坐り直した。妙に頭が冴えてきた。

決して宮原を嫌なのではない。昨夜のことを思いだしても、宮原が自分をどんなに大切に扱ってくれたかわかるし、自分の官能を、宮原の愛撫によって、どれほど燃えたたせてくれたか思い出しても、全身が熱くなるほどだ。

それでも、今夜はもう彼の声を聞きたくもないし、逢いたくもない。

宮原の妻の自殺未遂の話が、突然、ようやくこのごろ薄れはじめていた博のことを一挙に思い出させてきた。

博がまるで宮原との情事の邪魔をしているような気がしてくる。

はじめて宮原と結ばれた後では、不思議なほど博の俤が薄れていて、

——あらゆる場合、自殺は卑怯だとわたくしはこの頃考えるようになっています。よく日本人

は、何かあると、死んで詫びるとか、死んで清算するとかいいますけれど、死んで解決する問題など、何ひとつないとわたくしは思うようになりました……——

そんなことを宮原あての手紙の中に書いたように覚えている。そうだ、あの時は、——あなたとすごした夜、わたくしの心から、彼は全く姿を消していました。あなたに抱かれた後で、彼をちらと思いだしましたが、彼にとがめられているとも、やましいとも思いませんでした——

とも書いた筈だった。ゆかりはそこまで考えた時、あっと、小さな声が咽喉をついて出るのを感じた。

宮原純爾様
もうあなたはおやすみになっているでしょうか。いいえ、まだ、ソファに坐ったまま、ひとりでお酒をのんでいらっしゃるのではないでしょうか。何度も何度も、電話の方へ手がのびましたけれど、こらえてしまいました。
もうお電話したら、わたくしはわっと泣きだし、わけのわからないことを口走り、また変な雰囲気になるかもしれないと思ったからです。
どうか、さっきからのわたくしの数々の無礼をお許し下さいまし、あれから、ずっと考えていました。なぜ、わたくしは、あなたの電話をあんな失礼な切り方で切ってしまったり、不快な感じの（それは自分で重々わかっているのです）応答をしたりしたのでしょうか。

今夜、わたくしが、仕事のおつきあいの酒席から帰って、あなたにお電話した時は、なつかしさと慕わしさでいっぱいでした。いいえ、仕事の上での男性四、五人と、銀座の料亭で食事をし、バーへ移ってのんでいる時でも、ずっとわたくしの心も軀もあなたで満たされきっていて、わたくしは彼等とどうしてこんな時間を過ごさねばならないのかと情けないくらいでした。その上、少し油断すれば、あなたと過ごした時間の疲れが出て、しゃぼん玉のようにあくびが体の底から、いくらでもわきあがってくるのです。

「今日は何だか冴えないね」

など、とうとう敏感な一人にいわれてしまうほど、ぼんやりしていました。やっと、お開きになり、やれやれとホテルに飛んで帰り、ハンドバッグを置く間も惜しくあなたにお電話してしまったのです。もう一度お声を聞いて眠りたいと思ったのです。もし、あなたがどこかへ来いといえば、それからでも行ってもいいとさえ思っていたのでした。

それなのに、あなたから、奥さまのことを伺ったとたん、わたくしは、自分でも不可解な反応をして、あなたが憎らしくなったのです。自殺者に冷淡だ、自殺を考える人の神経に対して同情やいたわりがないといって、あなたを憎み、電話を荒々しく切ってしまったのです。

その後、わたくしはひとりで泣き、泣き寝入りしてしまったのです。

あなたのお電話はわたくしを夢の中から、呼びもどして下さいました。どんな夢を見ていたかは、今ここに書く勇気がありません。

そしてわたくしはまたしても、あなたに無礼な応答をしてしまったのです。

電話の切れた後、わたくしは頭をかかえこんで、どうしてこんなふうになったのか考えはじめました。そして、突然、ひとつのことに気づいたのです。

ああ、何ということでしょう。わたくしは、病気の、そして、更にお気の毒な目にあわれたあなたの奥さまに嫉妬していたのです。

わたくしはあなたに対して、あなたの家庭や御家族とは無関係だと、口はばったいことをいったことを覚えています。そして全くその通りと考えていたのです。

でも、あなたから奥さまは家を出ていらっしゃると伺った時、やはりわたくしは、内心ほっとしていたのかもしれません。というのはそのことに今、初めて気づいたので、伺った直後もその後も、わたくしは、そんなことは無関係だと思っていたのです。あなたと結婚したいとは一度も考えませんでしたけれど、あなたとめぐりあえて嬉しかったと思っています。そして出来れば、あなたとの御縁をつづけていきたいと願っていたのでしょうか。

結婚の意志がないから、あなたに奥様がいようがいまいが、関係ないと考えていたのは、奥さまがすでに家を出ていらっしゃるという既成事実の上に、なり立ったわたくしの不遜な思い上がりだったのでしょうか。

奥さまの入院をまだあなたが面倒を見る立場にあられたことを知った時のわたくしの狼狽を、わたくし自身が認めたくはありませんでした。

その奥様が自殺未遂をなさる。それを聞いた時正直申しまして、わたくしは甘えだと舌打ちしたいような気持がありました。それとほとんど同時に、彼の自殺の記憶がよみがえってきて、そんな冷淡な自分の客観的な観方を恥じ、後悔しました。あなたに向かっていった支離滅裂の文句は、その狼狽の中から出たとしかいいようがありません。

あなたに甘えて、SOSを出す奥さまの心根がお気の毒になったのも事実です。でもそのことは、死にたいというサインを送るほど、あなたと奥様の仲は絆が強いのだという事ではないでしょうか。奥様に新しい恋人がお出来になって別居しているとばかり思っていたのは、わたくしの早合点だったのかもしれません。奥様はまだあなたを需めていらっしゃるのです。必要としていらっしゃるのです。そして、今尚、籍のぬけていないあなた方おふたりは、あなたがその気にさえなれば、元の鞘におさまることに可能性があるということなのです。

わたくしは奥様の命を賭けた呼び声に一向に気づいてあげないあなたを、鈍感で薄情だとののしりました。でももしあなたが、もっと奥様のことを案じて、とてもわたくしにかまっていられないとおっしゃった場合、わたくしはあなたを許したでしょうか。あなたのやさしさに感動したでしょうか。

あなたと奥さまがまた御一緒に暮らす可能性が充分見えてきたことが、わたくしを逆上させたのだと、今ははっきり認めます。

わたくしは死んだ彼にあまり嫉妬した記憶がありません。彼は硝子張りでわたくしに何でも話してくれていましたから。ここまで書いてきて、わたくしは、またあることを思いだしました。

それは彼が死んでから、半年ほど後のことでした。

その頃、わたくしは、外国製の家具屋に勤めていました。パートで傭われて、外国との取引相手に、発注の手紙を書いたり、向こうからの手紙を読んだりする仕事でした。英語とフランス語は少ししか出来ませんでしたが、何とか間にあっていました。それまでの勤め先は、結婚するといって退社したので、恥ずかしくて今更もどれなかったのです。

永く勤めるつもりはありませんでしたけれど、とにかく遊んでいても沈みこむばかりだから、母にうるさくいわれ働くことにしたのです。

その店は母の友人の未亡人が経営していました。

菜種梅雨の長くつづいた春さきの頃でした。

わたくしが、郵便局から店へもどりましたら、客が待っていると、店員がつげました。奥の小さな応接間にその人がいました。地味な感じの、私より七、八歳は年上に見える女の人でした。美しいとは思いませんが、澄んだ光の強い目で、真直ぐ人の顔を見つめる人でした。その人に名乗られても、わたくしには全く記憶がありません。

「とんだことで大変でしたね」

というのです。とんだこととは博の死以外にその頃は考えられません。だまっていると、その人は目にいっぱい涙をためてきて、

「あなたがお気の毒で、慰めようもありませんわ」

といいます。

「どういうお知り合いですの、わたくし彼から何も聞いていなくて」

というしかないのです。妙にわかったような、なれなれしい口をきかれるのが何となく不愉快

でした。その人は、わたくしの不愛想な表情や、言葉つきにも一向に傷つかないように、

「大阪の出張所で、少し仕事が重なっていましたの、親切でやさしいいい方でした」

というのです。わたくしは、彼女が彼を心からのような調子でほめてくれただけで、もうすっかり心が和んできました。

「ええ、とてもいい人でした。やさしくて、生真面目で……」

わたくしはそういっただけで、涙があふれそうになったので、奥歯を噛みしめました。

「お茶でものみに出ましょうか、少しくらいここは自由がきくんです」

わたくしはその人とも少し話しあってみたくなりました。

「ええ、でも、次の用事がありますから……出張中は、とても忙しいんです」

その人はそういうと、もう腰をあげかけました。そして急にそそくさした態度になり、

「安心しましたわ。もっと、しょげていらっしゃるかと思って……仕方がないんですもの、あきらめましょうね。あきらめられないでしょうけど……」

そういって、立ち去ってしまったのです。何というかつさ、わたくしはその人の姓が上原というのだけは聞いて、名前も聞かなければ、住所も聞きそびれてしまいました。そしてその人はそれっきり、わたくしの前にはあらわれませんでした。

上原という女の人を、わたくしが全く思いだしたこともなかったというと嘘になります。咽喉にささった小さな骨のように、それは神経をしくしく刺激するある不快さを持っていました。正体のはっきりしない、理由のつけられない不快さにわたくしは時々ひっかかりましたが、その不

快さを思いだしたくないため、いつ頃からか、上原という女の訪問の事実を忘れようとしていたようです。

そして一応それは成功したかに見えていました。

でも今、それは臭いものに蓋をしていたにすぎない努力だったと気がつきました。

あの人は、なぜわたくしを訪ねてきたのか。

彼女と博はどの程度の関わりがあったのか、彼女はいくつで独身なのか、既婚者なのか、なぜ彼女はわたくしを可哀そうにといって涙を浮かべたのか、わたくしのことをいつ、どこで博から聞いていたのか。

そんな疑惑がどっとわき上がってきます。パンドラの箱の蓋をとったような疑いや、不安や、漠とした不安の影がわたくしを取り巻いてしまいました。

いつか、まりさんとふたりでお酒をのみ、酔っぱらったことがあります。その時、まりさんが、

「もしもよ、博くんにあなたの他に女がいたとしたら……そんなこと考えたことない？」

といいました。わたくしは言下に、

「そんなことのあった方が、ずっと納得がいって悩まないわ。それだけは全くなかったのよ」

といいきりました。まりさんは酔ってうるんだ目でわたくしを呆れたようにまじまじとみつめ、突然、高い声で笑いました。

むっとしたわたくしに、まりさんはいいました。

「ほんとにあなたは、単細胞なのね。それとも稀有な自惚れ屋さんかしら……男って、女房や恋人が気にいっていたって、他の女が気のあるふりをみせれば、必ず関心を持つものよ。博さんとあなたは、同棲してるわけじゃなし、お互いデートの日以外は別々の時間を生きて、別々の夢を見てるんだもの、どうして彼の二十四時間のすべてをあなたが把握することが出来るの？　何もかも知りつくしていると思うなんて、傲慢よ」

話してるうちに、自分の言葉に次第に激したように、まりさんの口調は鋭くなりました。からかっているつもりが、段々本気で腹をたててきたようです。

――だって、彼はわたくしに何ひとつかくしていることはないんだもの。そんなこと肌を合わせてセックスしてればわかる筈でしょ――

そういってやりたいのをわたくしはつとめてこらえて、曖昧に笑ってその場をごまかしたのです。でも、今、わたくしは、突然、本当にまりさんのいったことが正しかったのかもしれないと思ったのです。

博と、上原という女の人との間に、わたくしの知らない時間があったと想像する方が妥当なのではないでしょうか。

それなら、上原という女の人は、わたくしが博の恋人だと承知の上で、博とつきあっていたのでしょうか。彼女の方が、もしかしたら、博の死に追いつめられた理由を、少なくとも私よりは知っているのでしょうか。

その人の顔さえ、わたくしはおぼろにしか覚えていないのです。

個性的でない印象の薄い人でした。

わたくしの知らない時間の、博とあの人との姿を想像しようとしても、目の前に濃い霧がたちこめるようで、どうしても映像が結びません。わたくしはまりさんのいうように、単細胞かもしれないと思いますが、稀有な自惚れやとは思えないのです。若い娘なら、恋の最中、恋人のいうことを全面的に信じようとする方が自然ではないのでしょうか。

博がわたくしと共有した時間に示した優しさや、情熱のすべての裏に、もうひとりの博がいたなんて、どうして信じられましょう。

でも、そういえば、博はわたくしとの時間に、多くを語るより、多くを聞いてくれる人でした。矢継ぎ早にわたくしの話すすべてを、うんうんと、うなずきながら聞いてくれました。彼の会社のことや、同僚のことは余り話しませんでした。たまにわたくしが訊こうとすると、

「つまらないよそんな話、せっかく逢えた黄金の時間に」

といって、わたくしの口を激しい抱擁でふさいでしまうというふうでした。(ごめんなさい、こんな書き方は、あなたを不快にさせているのかもしれません。でも、あなたは、こんなわたくしの無神経さもふくめて、すべてを許していてくれるような気がするのです。これもひとりよがりの甘えでしょうか)

特に、最後の一年くらいは、つとめて、仕事のことや、友人の話には触れたがりませんでした。

もし、万一、彼に死ななければならなかった理由があったとしたら、なぜ、わたくしにいえな

かったのでしょう。もう何千べん、何万べん、わたくしはその疑問を自分の胸に問いつづけてきました。

彼の死後、しばらくの間、人はよく、わたくしに逢うと、

「可哀そうにね」

といいました。その度、わたくしはびっくりして、棒を呑んだようになったものです。

自分が可哀そうなど、全く考えてもみなかったからです。可哀そうなのは彼です。博です。だって死ぬほどの苦しみを一人でじっとかかえていたのですもの。最後、彼が海を見つめていた時の心を思うと、もうそれだけで、彼が可哀そうで可哀そうでたまりません。今一度逢えたら、抱きしめて、

「どんなに辛かったでしょうね、可哀そうに」

といわずにいられないと思います。その意味で、わたくしは自殺を思いつかれたあなたの奥さまが、可哀そうでたまらないのです。その人に嫉妬する心とその気持は、何の矛盾もなくわたくしの中に同居しています。

あなたの奥さまが、刀折れ矢尽き、あなたにSOSを発していたのです。どんなに苦しかったでしょう。

惨めなコキュにあなたを落としめたのは、奥さまです。あなたが奥さまに愛から憎悪に移った感情を持っていられたとしても不思議ではないでしょう。

もちろん、奥さまはあなたのそんな心変わりに気づかない筈はありません。

「何を今更」と、あなたに突き放される夢を何度奥さまは瞼に描かれたことでしょう。それでもあなたを愛するためではなく、自分が救われたいためにSOSを発しつづけていたのではないでしょうか。それを受信することが出来なかったのは、あなたの受けとる装置がこわれていたとしか考えられません。受けとる装置とは愛です。わたくしが彼のSOSを受けとれなかったのも、やはり、愛が故障していたのでしょう。

あなたのことはわかりません。わたくしの場合、あれほど愛していたのに、どこを故障っていうのという声が胸の底からわき出ています。

でも、今やっと気づきました。わたくしは彼を愛しているつもりで、それは自分を愛していただけなのではなかったのでしょうか。自分がもうすぐ好きな彼と結婚出来るという喜びのために、有頂天になっていたのです。彼も自分と同じ心だと思いこんでいたのです。いいえ、同じ心でなければならないと決めこんでいたのです。

彼の精神の叫びが読みとることをも拒んでいる装置に、人るわけはありません。

わたくしが喜んでいることを、彼もいっしょと思いこんでいました。

彼を愛することがそのまま快楽だったのです。人を本気で愛すれば、快楽よりもずっときびしい苦しい試練に投げこまれることに、考えついてはいませんでした。

彼を愛することが、自分自身にとって快いことだから、わたくしは彼を愛していたと思いこんでいたのです。

愛とは何というエゴイスティックなものでしょう。ほんとうの愛とは、愛する当の相手が幸せになることを望み、祈るものだと思います。

彼がわたくしに何ひとつ語らず、ひとりで苦しみから逃れるために自殺したのは、わたくしがあまりにも有頂天に喜んでいたので、それをうちこわすことが出来なかったのではなかったでしょうか。それこそ、彼の愛だったのかもしれません。

彼は死んで、わたくしに愛の本当の意味を教えてくれたのかもしれません。

わたくしはあなたを、愛しはじめていると思っていました。それはわたくしにとって幸福で快いことでした。でも、それは、あなたを愛することが、自分にとって快く楽しいからで、やはりあなたを愛しているというより、あなたを愛する自分の快楽を守りたかったのかもしれません。

新緑

今年は花も早く咲きはじめ、春があわただしくすぎ去って、もう章史の仕事場のまわりは、いっせいに新緑が芽ぶいていた。

家のまわりには山紅葉の樹が多いので、芽ぶきはじめた紅葉の新芽が、はじらうように小さな掌をひろげはじめると、薄い葉に陽光がすきとおり、エメラルド色の雫が空から降りそそぐような感じがした。

庭に板をわたした台を何台もつくり、その上に、灰皿を乾していた章史は、幸子の声にふりむいた。

「お茶にしない？」

「うん、あとここまで並べてから」

章史は盆と土瓶をさげた幸子にいってすぐ作業をつづけた。

幸子は、土の上にむしろをひろげ、その上に茶道具を並べてから、章史の仕事を手伝った。会社の新築の引出物に、章史がデザインし、幸子が面白半分に絵付けしたものが気にいられ、まとまった注文を受けたのだった。納品の期日には日があるのに、几帳面な章史は早々と仕事を終えないと気になるらしい。幸子の絵付けがまだ三分の一も残っているのが気になっているものの、それを早くしろといえず、内心苛立っている。のんきなのかふてぶてしいのか、幸子は章史の小心さを笑って、悠々と落ちついている。

「大丈夫よ、そんなに早く仕上げたって、すぐお金くれないわよ。こういうのは、全部式が終わってから支払われるものよ」

などとうそぶいている。

「金の問題じゃない。早く収まらないと困るからだ。どんなアクシデントがあるかわからない」

「アクシデントは、起こる時にはどう防いだっておこるものでしょう。充分時間はあるんだもの、あわてないでやった方が、失敗が少ないんだから」

そうなると、章史はだまってしまう。気質がまるきり反対なのが、かえって相性がいいというのか、章史は幸子ののんきさに、次第に馴らされていく自分を感じていた。

幸子は、スカーフで、頬かぶりして、半袖シャツからむっちりした白い腕をむきだしにして、さっさと灰皿を並べていく。絵柄は毒だみだが、さり気なくて可愛らしく、野趣があった。

いつ、どこでそんな絵筆使いを習ったのかと章史が訊いても、

「天然の才能ね」

と、鼻の先で笑ってすましている。

幸子が鼻唄まじりに手伝うだけで、あたりの空気がいっそう光るように感じ、章史の手も速くなった。

並べ終わって、むしろに腰をおろすと、手の届く場所に煙草と百円ライターが置いてあった。試作の灰皿も並んでいる。

章史はそれが当然のように馴れた手つきで煙草に火をつけ、一ぷく深々と吸った。

幸子が香ばしいほうじ茶の湯のみをさしだした。

「食べてみて、蜂蜜入りのパウンドケーキよ」

「そんなに何もかもいっぺんに出来るか、煙草吸って、お茶のんで、菓子食って」

いいながら、章史は湯のみの茶を美味そうにのみほしていた。

あたたかな陽ざしが新緑の葉ごしに落ちてきて、木もれ陽が柔らかく頬や首筋に躍っている。煙草も茶も、章史の胃に吸いこまれ、疲れがすっと消えていくのが感じられる。

幸子の手渡すケーキも甘い蜜の香りがして舌に快くとけていく。こうしているとどこかで老鶯が鳴き、うっとり眠りに誘いこまれそうなのどかさだった。

「天国ねえ」

幸子が感動をおさえこんだようなかすれ声でいった。

「どこが？」

章史がびっくりしたような声で訊きかえし、

「ここに決まってるじゃないの。風がさわやかで鳥がないて、新緑がまぶしくて……あたし、今年みたいなのどかな春や晩春ってはじめてよ」

　幸子の白いうなじにも木もれ陽が水玉のように躍っている。

　章史が無意識に二つめのケーキに手をのばしたのを見て、幸子がわあいと声をあげた。

「ほらね、美味しいもんだから、食べたいでしょ」

　章史は苦笑いして、それでもやはりそのケーキにかぶりついた。

「あたしね、この頃、夜眠る時、いつでも、明日目がさめたら、この幸福が、どうか夢でありませんようにって祈ってるのよ」

　章史は幸子のあまりに素直な正直な告白に胸が熱くなった。それをごまかすため、あわてて、湯のみの茶をぐっとのみほしてむせた。

　幸子がその背を叩きながらいう。

「いやね、いくら美味しいたって、子供みたいにがつがつ食べるからよ、落ち着いて落ち着いて……」

　章史は涙のたまった目を手の甲でぬぐいながら、ようやく声をだした。

「そんなに幸せか、今」

「ええ、生涯で一番幸せだわ」

「幸せって何だ、幸子にとって」

「そうね、まず、食べる心配のないこと、あったかいねぐらのあること、夜、ひとりじゃなくて、そばにあったかい人間の軀があって、手をのばせば抱けるってことね」

章史はだまって煙草に火をつけた。

「今、それがみんな手に入ったんだもの、夢みたい」

「今まで、そんなに食べる苦労したのか」

章史は、こんな貧乏暮らしを有難がる女がいじらしくて声がやわらいでいた。

「そうね、物心ついた時から貧乏だったわ。今の日本が世界一豊かだなんていうけど、明日が食べられるかどうかっていう貧乏な人たちっていっぱいいるわよ。うちなんか、父ちゃんが炭鉱の閉山で職を失くしてから、やることなすこと失敗つづきで、今でも、子供の頃のみじめさは思いだしたくもないわ」

「それにしては明るいなあ」

「明るくしてないと、自分がめいってだめになってしまうからよ、空元気ばかりだったの。働くのは嫌じゃなかったわ」

幸子は章史の横に自分も腰を下ろし、湯のみを両掌ではさみながらいった。

「でも働いても働いてもうちは次々病人が絶えないし、ちっとも暮らしは楽じゃなかった。家を出たのは十七の春よ。もうそれからはいろんなことしたわ。皿洗いからはじまって、若い女の職業っていうのは片っぱしからやってみたわ。どこも長つづきしないのよ。飽きっぽいのとちがうの、あんまりあたしが一生懸命やりすぎるから、仲間から嫌われるのよ。ほどほどってことが出来ないから、大ぜいで働く時には、ひとりいい子ぶっていると思われるし、単独で働く時は、たいてい主人がほめてくれるし、可愛がってくれるから、奥さんに追い出されるはめになるの。ほんとに何でもしたなあ、ソープランドだけにはいかなかったけど……」

幸子は目を細めて、白い雲の浮かんでいる空を見上げた。まるで、苦労をなつかしんでいるような、のどかな表情をしているので、章史はおかしくなった。

「男に捨てられるたんびに、男をあきらめないで、好きになるんだから困った性分よね」

幸子は、章史の顔を見かえって、笑った。

「そんなに度々捨てられたのか」

「そうね、捨てた時もあったかな、とにかく夢中になると、それもほどほどがないから、結局、重荷に思うんでしょうね。嫌いになったわけじゃないけれどって、よくいわれたわ」

「わからないなあ、夢中になってくれて、尽くしてくれたら、男冥利につきるじゃないか」

「そう思うでしょ、でもそれがちがうのよ。この頃じゃあたしも少しは利口になって、尽くしたい半分もつとめないようにしてるから、まだ追いだされないのよ」

「ふうん、これで半分か」

「そう、怖いでしょ」

「尽くすって言葉がいやだけれど、尽くすって言葉の中には、どこか身を犠牲にしてって感じがつきまとうからな」

「あたしの方は、尽くすことが犠牲どころか、とても嬉しいのね、快適なのよ。でも相手は好意の押し売りされたみたいで、しんどくなるのね、あたし、今なら、よくわかるわ。でもなかなかそれがわからなかった。何でこんなに好きなのにうまくいかないのかって、いつでも苦しんでいたわ」

「人って全く見かけによらないなあ」

章史は煙草の輪を見上げながらいう。

「あんまり苦労したような顔してないものね。その方が得だけど……たぶん、男が別れる時も、この女なら、そう苦しまないだろうとか、別れても何とかばりばりやっていくだろうとか、そんな気持を持たせるんじゃないかな」

「つまり、あんまり悲劇的な顔じゃないというわけか」

「うん、喜劇的とまではいかないけど……」

「こらっ」

幸子は章史に軀ごとぶっつかっていった。ふいを打たれた章史が倒れた上にのしかかり、幸子は、章史が苦しがって、はねかえすまで長い接吻をやめなかった。

幸子は章史にとっては運をもたらす女なのかもしれなかった。

幸子が来てから大量の引出物の注文が、たてつづけに来るようになったのだ。最初の菓子鉢が気にいられたらしく、それから、次々注文がつづいている。

「こんな売り物ばかりしていたら、本物が焼けなくなる」

といいながらも、当面、仕事場の設備や拡張に資金がいくらあっても足りない現状なので、大量にさばける仕事は、やはり有難いといわなければならない。

今では幸子は章史にとって、なくてはならない助手であった。

一日中くるくる動きまわっている幸子のまわりの空気は、色がつき、いい匂いがしているように章史には感じられてきた。鼻唄を歌いながら働いている幸子を見ると、章史までつい、鼻唄を歌いたくなってくる。

時々ふっと、栄子の持っていた静かな、森の中の湖のようなひんやりした雰囲気が、背筋をすっと通りすぎることがあった。章史自身が、物静かで陰気な性質なので、栄子といたら、ひとつにとけあってしまって、自分と栄子がいるというより、ふたりがひとりになった生物が、ひっそりと息をしているような感じがあった。

栄子を他者という意識でみなくなった頃、章史はあんまり安心しすぎてしまったのだろうか。栄子が何を考えているかなど思いやる必要もなく、自分の考えや感じが、そのまま栄子の考えであり、感じだと信じこんでいた。

栄子がいなくなってはじめて、章史は、無口な栄子の中に、どんな思いがつまっていたのかと想像するようになったのだ。

幸子は、章史が想像しない前に、自分から気持を表現する。表現されるものが、たいていの場合、章史の意表をつくので、その度、章史は新鮮な愕きにうたれて、幸子の顔を見直してしまうのだ。

「あ、電話が鳴ってる」

いうが早いか、もう幸子は駈けだしていた。

この頃は電話も幸子でたいていい用が足りるようになっていた。土をいじったり、火いれをしていたり、章史の手の抜けない時はとても助かった。

栄子は、相手の名を聞くだけで、すぐ待ってくれといい、章史を呼びに来た。仕事の話などで、万一まちがっては大変だという気づかいの方が強かった。それはそれで、章史は栄子のおとなしさが気にいっていて、ちっと舌打ちしながらも、仕事の途中、何度でも立ち上がった。電話の内容を栄子から訊くことなど、ほとんどなかった。

幸子はちがう。

「今の人、どこの人？　何屋さん？　章史とどういう関係なの？」

としつこく聞く。最初の頃、

「いちいちうるさいなあ、どこの誰の電話だろうと、関係ないだろ？　ほっといてくれよ」

とどなりつけたこともある。

幸子は負けていなかった。

「関係あるわよ。ここに居る以上、電話をとるのはあなたばかりとはかぎらないでしょ。一々、相手に御関係はなんて訊けないじゃない」

「どうして関係を知らなきゃならないんだ」

「あたしですむことなら、何もわざわざ仕事の手を中断させることないでしょ、お話だけ承っておきます。今ちょっと出かけていますからって、いえばいいのよ」

章史は幸子のいい分に異議が唱えられなかった。

「中にはあたしを栄子さんとばかり思いこんでいる人もいるわ。奥さんですかっていわれて、一

一、いいえちがいますともいえないわ」
それも尤もだと思う。

「栄子さんの時は、栄子さんの判断でやっていたんでしょ」

「いいや、ちがう」

章史はようやく意見をいうことが出来た。

「ちがうって、どうちがうの」

「あれは、どんな電話も、相手の名を聞いただけで、すぐぼくに取りついだ、自分は一切答えなかった」

「ふうん、ずい分内気なのね」

幸子は納得のいかない表情でいった。

「それで、その方がよかったの、あたしは出しゃばりだといいたいの？」

「そう畳みこまれても困るよ。栄子のようなのは、少しは自分で判断してくれればいいのにと思うし、幸子のように、何もかも一手に引き受けられてしまうのも、落ち着かないな。どっちかっていうと、ぼくはひかえめでおとなしいのに馴れてきたからな」

「いったわね、よくもぬけぬけとのろけられるものね、逃げた女房がそんなに恋しいの」

「もう一ぺんいってみろ」

章史が腕をふりあげそうにして腰をあげかけると、幸子はすかさず、ぱっと章史の腰に抱きつき、羽がいじめにしてしまう。

「ごめん、ごめん……だって、あんまりぬけぬけと栄子さんのことのろけるんだもの、ひどいわ」

自分も悪かったといいたいのを抑えこみ、章史は、むっとした表情をつくったまま黙りこんだ。幸子の腕を払いのけようとするが、がっちり組んだ腕は鉄の輪でもはめたように動かない。むしろいっそうじりじり締め上げてくる。

「栄子はこんな荒っぽいことをしなかった」

「どうせそうでしょうよ」

幸子はふいに腕を解くと、その反動で重心を失った章史の足を払った。音をたてて倒れた章史に逆襲されないよう、はだしで縁側から飛び下りると、猫のようなすばしこさで柿の木に登ってしまった。

「危ない！　下りろよ、ばかっ！」

章史があきれて、我を忘れて縁側からどなる。

「その枝は古くて弱いんだ。落ちたらどうする」

「落ちてけがでもしたら、少しはおとなしくなって誰かさんに似てくるわよ」

「わかった。もうけんかはやめだ、頼むから下りてくれ」

予測し難い幸子の言動にふり廻されながら、章史は幸子のつくりだす生活のリズムに次第に馴らされていく自分を感じていた。

幸子の動きまわる度に起こる風が、自分を暖かく取りまいているようで、章史はその快適さに気づく時、ふっと栄子と暮らしていた時の空気の冷たい静けさを、前の世の記憶のように遠いものに感じることがあった。

栄子が使っていた箪笥や鏡台を、神経質でない幸子は平気で使っている。茶碗と箸は、さすがに二人分新しく買いかえてきたが、鍋、釜類をはじめ台所用品も一切栄子の時のままだった。何となく気にしていながら、口に出すと、もっと様々なことにふれなければならない気がして、章史はそしらぬふりをする癖をつけた。

幸子が陽気なのが章史の気持を楽にしていた。もし幸子と東京でめぐりあわなければ、もっと惨めな気持で自分の暮らしは沈みこんでいただろうと思われる。

今でもあけ方の夢に栄子があらわれることがあった。何も口をきかないで、横顔をみせて編物をしていたり、背を見せて台所で物を刻んだりしていた。なぜか夢の中の栄子は、所帯を持った当時の、少女めいた栄子だった。目覚めて、自分の寝床の横にすでに幸子の軀がない時、章史はほっとした。

夢の中で栄子を呼び、目がさめると、足が幸子の熱い脚に重なっていたりすると、章史は動悸を抑えかねた。

眠りの深いくせに幸子は気配に敏感で、たいていほとんど同時に目をさます。

章史がものもいわず枕元の水をのみほすのを見ながら、幸子が眠そうな声をかける。

「夢をみたの」

章史は見すかされたと思いながら、

「うん、うなされてたか」

と、つとめてさり気なく答える。

「しらない。あたしだって、たった今、目がさめたんだもの」

章史はそれを聞くと、開き直った気になって、時には、

「栄子の夢を見た」

と口にしてしまうこともある。

「あの人と、寝てた夢？」

「いや、ちがう、不思議なんだけど、いつだって、あいつは夢の中で口をきかない」

「いつだってって、そんなに度々夢にあらわれるの、あの人」

「度々ってこともないけど、ごくまれに来るね」

幸子は、ちょっと章史をつねってみたりはするが、さほど、夢の中の栄子に妬いたふりはみせない。

それこそ、ごく稀だが、章史は栄子と媾っている夢を見ることもあった。目がさめるとそれは栄子でなかったような気もしてくる。乳房の大きさや、膣の熱さが、栄子とは似ていなかったような気もする。けれども夢の中では、栄子と一緒にいるのだという想いが胸いっぱいにあふれていた感じはまだ消えない。もちろん、そんな時は幸子の誘導尋問にもひっかからないよう、章史はつとめて口を閉ざしておく。

音沙汰のない栄子は、もう噂にも上らなくなって、近所の人たちにしても、すっかり幸子の

ペースに巻きこまれている。

「今度の奥さんの方が愛想がいいし、親切じゃないか」

「そうだね、でも別嬪さんは前の人の方かね」

「あら、今度の人の方が若々しくて、きれいだよ」

「章史さんはあれで、女好きのする人だもんね」

「あら、あんた、後釜が来なかったら、面倒みるつもりでいたんでしょ」

そんな人々の話も、まわりまわって、幸子から章史に伝わってくる。

去る者、日々にうとしとはよくいったものだと、章史は栄子があわれになる。

幸子のように雑草のような図太さのない栄子が、どうやって生きているのかと思うと、まだ章史の心は痛んだ。つれ出した男が、しっかり面倒みていてくれるならいいが、捨てられて、ひどい生活でもしていたら、どうしようと気になるのだった。

そんなある日、ふいに久美子が訪ねてきた。

前ぶれの電話は幸子がとった。

もうすでに何度か久美子の電話は取りついでいるので、幸子はそつがなく、すぐ章史を呼びに来た。

「東京の美美の社長さん、近くからですって」

章史はあわてて仕事場で立ち上がりまわりを見廻している。

「どうしたの、早く」

「近くって、来るのかな」

「知らないわ、早く、早く」

幸子にせかされて、受話器をとると、久美子の声がする。日によって高くなったり低くなったりする久美子の声は、甘くてやわらかくて、章史にはなつかしい。この頃、幸子が来てからは、そういうこともなくなったが、淋しくて気のめいる時など、よく用もないのに電話した頃を思い出す。久美子はいつも、うるさいとか面倒臭いとか声には出さず、割合親身になって応答してくれた。ふっと、久美子との電話は、一方的にすまながる必要はないのではないか。久美子も自分との電話を少しは愉しんでくれているのではないかと思うことさえあった。

耳にまつわりついてくる久美子の声に、章史は一種の後ろめたさを感じ、声が低くなった。

「すぐ近くの町に知人の結婚式で来ているから、思いたって、今から寄りたいというのだった。

「今日は突然だから、御迷惑なら、断ってくれていいのよ」

久美子の気の廻りすぎる気づかいに、章史はあわてて、

「とんでもない、どうぞ、どうぞ」

といいながら、頭を何度も下げていた。

そんな章史の尻を幸子が、竹箒で軽く叩く。

「はい、それじゃ、そこまで迎えにいきます」

いい終わって章史は幸子の腕を力まかせに摑んだ。

「何をする。人が電話してる時に」

「だって、ぺこぺこお辞儀してみっともないんだもの、何さ、特別のつくり声出して」

「つくり声なんかいつ出した」

売り言葉に買い言葉で、章史はさほど怒っているつもりはないのに、威丈高な声になっていた。

「あら、テープにとって聞かせてやりたかったわ。いつだってそうよ、久美子さんの電話の時は、あなたの声は一種特別よ、甘えて、やさしくて、猫みたい」

「いいかげんにしろ」

「だって、そっちが怒鳴ったんじゃないの、女の耳は敏感ですからね、惚れた男の表情や声を見のがすわけないじゃないの」

「邪推だよ、嫉妬だ」

「邪推なんかじゃないわ、あたしは邪推するような陰険じゃないもん。でも嫉妬っていわれたら、ふうんと思うな、嫉妬でいいわよ、愛情のバロメーターなんだからね嫉妬ってやつは、そうよ、その証拠に、あんたなんかあたしにいっぺんだって嫉妬したことないじゃないか」

「いいがかりもいいかげんにしろ」

いいながら章史は笑いだしていた。めちゃくちゃの幸子のいい分に、正気でつきあっているのが馬鹿らしくなった。惚れてるから声や表情で心理を見分けるというのは本当かもしれない。愛が緊張している時は、たしかに声や表情で、聞かなくても相手の想っていることがわかる。章史は幸子の指摘に本当は忸怩(じくじ)たるものがあった。

久美子に甘えている気持はたしかに自分の中にあった。幸子のいうように嫉妬されるような感情ではないにしても、少なくとも自分の方は久美子に対して、苦悩のどん底から、すがりつきたい藁であったことは否定出来ない。

久美子が自分をどう思っているかなど想像できない。自分の中にある才能の可能性だけが、久美子にとっては自分への興味の中心で、その他は久美子の中ではどうでもよいことなのだろう。

栄子がいようが、いまいが、幸子が来ようが来まいが、久美子は関係ないと思っている筈だ。ただ、そういう事件で、章史の気持が乱され、制作の意欲がそがれることだけが、久美子には関心事なのだろう。

電話でやさしく応答してくれるのも、そうすることで、章史の精神のバランスが少しでも早く平常に復するようにという配慮だけからかもしれない。

章史はそう分析してみて、そうにちがいないと、自分にいい聞かせようとした。久美子のような完成され、成熟した女の魅力は、一人の女として見る時はまぶしすぎる。ただ、自分の才能を誰よりも早く認めてくれ、自信を与えてくれ、仕事をする意欲をいつでもかきたててくれる点に於て、久美子は章史にとってヴィーナスにはちがいない。

幸子の嫉妬を見当ちがいというならば、その点だけだろう。自分の久美子への感情は、崇拝し拝跪しているもので、男と女のエロスの次元のことではないのだ。

それをどういって幸子に説明したらわかるだろうと思っている時、久美子の車が家の前に止まっていた。

章史が久美子を出迎える間、幸子は台所にいて姿を見せなかった。

久美子の久しぶりの和服姿に、章史はなつかしさと同時に妙に気恥ずかしさを感じた。

「まあ、どうしたの、すっかり元気になって、色艶のいいこと、それに肥ったかしら」

久美子は年長者の遠慮のなさで、いきなり章史の全身を眺めまわし、ずけずけいう。

章史は顔色がよく肥ったといわれたことで、まるで堕落しているぞといわれたように顔を赤らめた。

庭にはいっぱい灰皿が乾してある。久美子の来訪が突然だったので、それを片づけておくひまもなかった。

久美子は家の中に這入ろうとせず、庭を廻ってそれを見た。

「引出物を頼まれちゃって」

章史はいいわけめいた口調でいった。

久美子は、手にもとらず、それを見て、

「絵付けは？」

と訊いた。

「今、いっしょにいる女が描きました」

久美子は何もいわなかった。章史は脇の下に汗が滲むような気がした。

いつの間にか猫のように足音もたてず、幸子が章史の背後に来ていた。

ふりむいた久美子の方が、幸子と目を合わせた。

「あなたの絵なの？」

久美子が灰皿を指さしていった。

「はい」

幸子が悪びれない声で答え、

「いらっしゃいませ」

と挨拶した。久美子は会釈も返さないで、

「面白い絵ね、素人っぽいのがいいわ、毒だみが絵になるのね」

その表情も声も好意的だったので章史はほっとした。何も幸子と一緒に暮らしていても、久美子に遠慮する理由はないのに、章史は後ろめたい気持があって、そわそわしていたのだ。

「お茶をどうぞ」

幸子にすすめられ、久美子はうなずいておいて、章史の窯を覗きにいった。

「今、何が入ってるの」

「まだ瓶子をやってるんだけど、段々難しくてうまくいきません」

「あれは、難しいわね、でもいいものは、とても品があって飽きないのね、あたしも好きよ」

造りたいと思ってはいても、目下の注文に追われて、自分の作品はなまけていることも、久美子にはみんな見抜かれてしまったと思い、章史はもうあきらめてしまった。幸子のこともすべて久美子は察しているのだろう。

幸子がまた茶が入ったとすすめに来た。

　久美子が幸子と肩を並べ先に家に入っていく。仕事場の横に、板の間に炉を切り、そのまわりに紺絣の座布団を並べ、居間兼客間にしている。久美子はそこに坐ると、章史にではなく幸子にいった。

「なかなかいいお住まいね」

「はい、こんないい暮らししたことありません」

　幸子の率直すぎる言葉に、章史も久美子もはっとした表情になった。

「みっともないこというなよ」

　一瞬、間を置いて章史がいった。

「だって、ほんとなんだもの。あたし今までその日暮らしの、不安定な生活ばかりしてきたんです。偶然この人に出逢って、拾ってもらって猫みたいにここに住みついてしまったんです」

　顔は久美子に向け、幸子はいった。

「こんなのどかで、明日の心配のない生活なんてしたことないんです」

「よかったわね」

　久美子の声はあたたかかった。章史はいくらかほっとしたものの、こんなことをなぜ突然幸子が久美子にいいだしたのかわからなかった。

「あなたがここに来て、章史さんが落ち着いて、健康になって、よかったわ。あなたも御存じかもしれないけれど、一時この人、ノイローゼになりかけていて、ほんとはあたしとても心配してたのよ。このところ、ちょっと便りがないので、寝こんでるんじゃないかと思って寄ってみたんです。来てよかったわ」

「ほんとですか」

幸子は素直に顔を輝かせた。

「あたし、もし邪魔してるようだったら、いつでも出ていっていいんです。その覚悟はずっと忘れたことありません」

「そんなに悲愴に考えない方がいいんじゃない？　人間誰だって幸せになる権利があるんだもの」

「はあ、そう思っていいんですね」

幸子は嬉しそうにうなずいた。誰の心にでも、ずかずか這入ってしまう幸子の天性の率直さを時には羨ましいと見ているものの、これ以上幸子が何をいいだすかと章史ははらはらした。

「ごゆっくりしていって下さい」

幸子は案外あっさり座を立って台所に引きかえしていった。

「どうも」

章史が照れて頭をかかんばかりにした。

「いい人じゃないの、さっぱりしているし、天衣無縫（てんいむほう）だし」

「天衣無縫すぎますよ。何しろ、野放しで」

「あちらはあれっきりなの」

久美子のことばに章史は一瞬言葉につまった。

「ええ……たぶん、生きてはいると思うんですが……何かあれば、籍はそのままですし、何とかどこかからいってくるでしょうから」

久美子はそれ以上栄子についてはいわず、ひとりごとのようにつぶやいた。

「難しいのよね、物を創るってことは……貧乏では芸が貧相になるし、かといって、心身が満たされると、どうしても創作意欲にしまりがなくなるしね……やっぱり芸術家って苦労してたり、心身ともに不如意な時の方がいいものつくるのかしらね」

章史は、久美子の柔らかな口調から痛烈なパンチを受けて、顔色が変わるのを感じた。

久美子の言葉は、現在の章史の太平楽な暮らし向きで、いい作品の生まれるわけはないといっていることなのだ。

灰皿など何百焼いたって、何の発見も進歩もある筈がないではないかといっていることなのだ。

「要するに今の生活がだらしないってことなのですね」

「そう、ストレートに考えない方がいいわ」

「でも、今の作品がだめだってことでしょう」

章史は被虐的な気分になり、いっそうかたくなになっていく。

「だめも何も、この頃つくってないじゃないの」

久美子の言葉は、どこまでも柔らかくおだやかだったが、章史の肺腑を突き刺すに充分だった。

「あたしのいうことに神経が立つのは、あなたが、すでにそれに気づいているからなのよ。何の場合も、本人が一番自分のことはわかってます。あたしがその上、何を厭味をいうことがありますか、思ったままをいってるんだから、気にしなくていいのよ」

「いっそうひどいですよ」

章史はそれでもようやく笑いながら話せるようになった。

「勘ちがいしないでね。あたしは、はじめから、実用に使えるものしか扱わないのよ。いわば、芸術家を転ばす名人かもしれないわね。それでも、長い間見てると、本当の芸術家っていうのは、決して転ばされないのよ。きっと日用雑器をいつのまにか、本物の芸術作品につくりかえてしまってるわ。そういう人が一番好きなの」

自分に好かれたかったら、そうなってみろといわれたようで返す言葉もない。

幸子が台所から、茶の用意をして出て来た。

「うちの畑であたしが作ったものですから」

幸子がすすめたのは、黄色い鉢に入ったそら豆だった。

「まあお見事ね、大好きなのよ」

久美子は早速、ゆでたそら豆を取りあげ口に運んだ。

「ああ美味しい、やっぱり取りたては味がちがうのね。これをいただくと、お茶よりビールがほしくなるわ」

「そうおっしゃると思って」

幸子が手品師のように、軀のどこかからビールを取りだした。ほどよく冷えたビールで、幸子は機嫌よく乾杯の音頭を取った。

章史も仕方なくコップを乾した。

「わあ、凄い。この人って、わたしがここへ来てから、こんなに勢いよく、男らしく、ビールをのみほしたりしたことありません。余ほど、いいことがあったんですね」

「いいことじゃなくて、焼けくそなだけだ」

章史が腹だたしそうにいう。

「何で、そんなに苛だってるんですか」

幸子が愕いたように章史に向かって聞いた。

「苛だってなんかいないさ、今、久美子先生に、何も作ってないじゃないかといわれて、その通りだから、しょげてるだけだ」

章史が、落ち着いた声で説明した。

「何も作ってないって、毎日々々こんなにいろいろ作ってるじゃありませんか、灰皿だって今、五百も……」

章史は幸子の口を手で掩いたくなった。

「数じゃないんだ」

「数じゃないなら何？」

幸子は真面目な目を章史から久美子に移した。

「幸子さんのいうのが当たり前なのよ。章史さんはあなたと暮らすようになって元気が出て、肥って顔色もよくなったわ。仕事もそれだから、ずいぶんたくさんしているようで、ほんとうによかったと思ってるのよ」

久美子は幸子のコップにビールをついでやりながら、おだやかな声で話しつづけた。

「まあ、おのみなさいよ。ただ、陶器作りにもいろいろあるでしょう。一生雑器を作って終わる人もあれば、何々展とかに入選したり、選者になったり、人間国宝になったりする人だってあるのよ、わかる？」

「わかります。でも、この人が、まかりまちがえば、人間国宝になるような才能を持ってるんでしょうか」

「そんなことはわからないの、誰にもわからないの。でもまあ、天才っていうのは、はじめからどこかちがってるんじゃないかな、章史さんは少なくとも天才じゃないみたいね」

幸子が笑い声をあげただけで、その笑いが妙にうつろに天井の高い部屋にひびいて消えていく。

「でも、ただの雑器作りで終わらせるには惜しい人なの」

「才能があるってことですか」

「そうね、まあ、わたしはたくさんの若い人を見てきたから、そういう目とカンはあるのよ、少なくとも本気でやれば、章史さんはもっと何かが出てくると思っていたの」

「過去形ですね」

章史が赤く酔いのまわった目許でいった。酔うと章史の目はうるみ、色っぽくなる。

「まだきめつけてはいませんよ」

久美子は自分のコップを章史の方にさしだした。章史がビール瓶をとろうとしたら、幸子がすばやくそれをとった。

「章史さんについでもらいたいの、あなたは気がはしりすぎるのよ」

ぴしっと、久美子がいった。幸子はあわてて、ビール瓶を章史に手渡した。

章史は手許がふるえて、コップからビールをあふれさした。

幸子はすぐ卓上にこぼれたビールを拭こうとして、手を宙に浮かせた。

久美子がふきだした。

「早くお拭きなさいよ」

「だって、気をきかせすぎると叱られるかと思って」

久美子がもっと大きな声をだして笑った。

「あなたと暮らしたら、ほんとに愉しいでしょうね。いいじゃない、章史さん、人間は誰だって、のどかに幸せに暮らす権利があるんだもの、そんなにきりきりして、芸術家ぶらないでいいわけよね」

幸子は久美子の機嫌がよくなったと思い、いそいそとまた台所に立っていった。

幸子の坐っていた背後にビール瓶が三本立っている。

幸子は手製の塩辛や茄子のしぎ焼きなどを次々運びながら、坐る閑もない。

　章史と向かいあい、久美子は幸子の料理に箸をつけ、ビールを傾けていた。

「あたしがつまらないことといったみたいね。厭味にとらないでちょうだい。こういう牧歌的な素朴な暮らし方って、誰だって心の底では夢みたいに憧れているんじゃないかしら。これで赤ちゃんでも出来れば、もう申し分ないじゃないの、名声とか地位とかって、どうでもいいと思えば、全く煙のようなものだし……」

「名もなく貧しく暮らせということですか」

「あなたの場合は名や権勢を需めなければ、反対にお金は入ってくるのよ。名もなく貧しく美しくではなくて、名はなく豊かに賑やかにってことじゃないかな」

「要するに凡俗に徹せよ、才能もないからとすすめてくれてるんですね、もう充分です。さっきからあなたはそれひとつしかいってませんよ」

「怒ることないと思うわ。そういうようにはいってないのよ。人間はそういう暮らし方が自然でいいんじゃないかって思っただけよ。文化々々っていうけど、何かしらと、ここへ来て幸子さんの顔見て思ったことを正直に話してるのよ。考えてごらんなさい。劫初の人たちは、お箸もスプーンも使わず、ものを食べたでしょうよ。そのうち、椿の葉っぱがお皿になったり、朴の葉が大皿になったりしたんでしょうよ。石がナイフだったり、まな板だったり、貝殻が美しいコップになったりスプーンやスープ皿になったでしょう。インドでね、あたし指でカレーライスをたべたわ。向こうの人はみんなそうするのよ。それはとても美味しいの、指の使い方が優雅で、とても美しいのよ。下品なんてちっとも思わなかった。大きなホテルの食堂では、インド人でも若い人たちが、ナイフやフォークを使ってたわ、それがかえってぎこちなくて不自然に見えるの、不思議でしょう。人間はだんだん智恵がついてきて、美しいもので食べたり、美しいものを身につけるようになったけれど、果たしてどれだけそのために幸せになったかしらね。わたしは、楊子一本でも、好みのものを使わないと、ものが不味くなるんだけれど、この方がおかしいのね。

幸子さんはお料理をあなたの焼き損じの捨てたものばっかり拾って盛ってくるじゃない。それで料理の味が変わるってものでもないのね」

「料理が、捨てた器に合うようなものばかりだからですよ」

「まあ、考え様だけれど、あなたも考えてごらんなさい。わたしの方も、もっと考えてみるわ。世紀末っていうのは、いつでも文化が爛熟しきって、頽廃して、新しいものが生まれようという胎動のきざしが見えてくる時なのよ。二十一世紀は、もっと原始嗜好になるんじゃないかしら」

帰る久美子を送って、幸子が運転して駅まで行くことになった。章史が助手席に乗った。最近買ったという中古の車は、結構快適だった。運転歴は章史より長いという幸子の腕はたしかだった。

「まだこの人にも話してないけど、あたし一年ばかりタクシーの運転手したこともあるんですよ」

「嘘をつけ」

章史が頭からいう。

「あら、嘘なんかつかないわ。田舎の町でとても珍しくてはやったのよ。新聞にだって出たんだから」

「ありそうなことね、あなたなら」

久美子はすぐ幸子の話を信じた。

「結構出たらめいうんですからこいつ」

章史がまだ信じない声でいう。

「でたらめなんかいわないわ、でもあたし、話しているうちに、作り話がどんどん出てくるんですよ。そして自分が誰より先に、それをほんとのように信じてしまうんです。そんなことありません？」

久美子も章史も笑ったままで答えない。

「そうかなあ、子供の時から、よくお話つくって兄弟に聞かせてやったんです。うちは貧乏で、本も雑誌も買ってもらえなかったから」

「それはほんと？」

「いやだ、久美子先生まで」

幸子は明るく笑い声をひびかせて、

「沼へよってみましょうか」

といった。

「沼？」

「ええ、広い沼があって、昔二人の男にいいよられた女が身を投げたって話があるそうです」

「万葉の菟原処女(うないおとめ)のような話ね。どこにでも昔からそんなことはあったのね」

「三角関係で身を投げるなんて、やっぱり古風ですね。失恋したならまだわかるけれど」

「幸子さんならどうする?」

「男ふたりに惚れられたら嬉しいですね、どっちとも別れませんねたぶん、そのうち男共が決闘して片がつくのを待ちます」

「一人の男を二人で争う時は?」

「それね、ずっとこの頃考えてる課題なんです」

「あら、いやだ冗談よ、仮定よ」

久美子はあわてて打ち消そうとした。

行く手に湖のように広い沼が光っていた。

水際に葦が青々とのび、沼には何を釣るのか、舟が二、三艘浮いている。岸辺に新しいレストランまで建っていた。

空の青さを映し、沼は紺青に輝き、雲の影を映している。

「お茶でものみましょう」

章史が誘ったが、久美子も幸子もいらないといい、沼のふちの小道を歩きたいという。

章史は煙草を買いたいとひとりレストランへ入っていった。

女ふたりは沼の縁をゆっくり廻りはじめた。

「さっきの話ですけど……」

幸子が別人のような低い声でいった。

「さっきの話って？」

「一人の男を二人で争う三角関係です」

「まだ本気にしているの？」

「久美子先生は御存じですか、栄子さんを」

「ええ、でもあなたより印象がうすいわ」

「はあ、そうですか」

幸子は拍子抜けがしたような声をだした。

「章史さんは、心の底では栄子さんを想いつづけています」

「そうかしら」

久美子は答えように困って曖昧にいった。

幸子のこんな話をする真意が計りかねた。

「もし、栄子さんが帰ってきたら、私はすぐ出てゆく覚悟はついています」

「そんなに悲壮にならなくていいんじゃないの」

「でもやはり覚悟しておかないと、いきなりの別れは辛いですからね」

「栄子さんが帰ってくるって気配でもあるんですか」

「いいえ、でも何だかカンみたいなものが女にはあるでしょう、特にこと恋愛に関しては」

「まあね」

「理由はわからないんです。でもこのカンは外れていません」

「よくわからないけれど、わたしの見た感じでは、章史さんは今、とても家庭的に落ち着いて幸福そうですよ。あんまり神経質に取り越し苦労しない方がいいんじゃないの」

「取り越し苦労だったらいいんですけれど、わたしって、何故か、幸福になりかけたら、最後の土壇場で駄目になるんです。今みたいに幸せなことってはじめてですから、本当いうと腰が坐ってないのかもしれません」

「赤ちゃんが出来ればいいのにね」

「そう思われますか」

「そうすればあなたも落ち着くし、章史さんの腹も決まるでしょう」

「栄子さんにお子さんがなかったのはどうしてだか御存じですか」

「あのね、わたしは章史さんと仕事でつきあっていますけどね、個人的なつきあいはそんなに深くないのよ。他の人もそうなの、あの人が仕事をしなくなれば、たぶんつきあわないわ。家庭内のことなど、いっちゃ悪いけど、どうでもいいんですよ」

「すみません。お気を悪くなさらないで下さい。つい、相談する人もいないので、初対面の先生に甘えてしまって」

「ついでにいわせてもらうと、その先生っていうのもやめてほしいわね、からかわれてるか馬鹿にされてるようでいやだわ」

「でも、わたしたち、話す時、いつでも久美子先生がっていうように話しあってるんです。あの人がそういうものですから、わたしもそういい馴れてしまって……すみません」

なぜこんなに幸子のことばのひとつひとつに突っかかりたくなるのか久美子にはわからなかった。たしかに章史にとっては都合のいい、明るい健康な女に見えるから、それでいいではないかと思うのに、幸子が寄りかかるような近づき方をすると、何故か拒絶反応が湧くのだ。

久美子は沼に目を向け、幸子を置き去りにするような早足で歩きはじめた。沼は湖や海とちがうとその時久美子は思った。一応表面は澄んで見えるが、沼の水はぼってりと重く、その底に、様々な穢物を抱きこんで底にゆくほど濁っているような気がしてきた。沼の水はさらりとしていなくて、掌に掬えばねっとりとまつわりつくのではあるまいか。幸子が今、久美子には何となく重く、ねっとりした存在に思われるのも、沼に来てしまったからのような気がしてきた。理由にもならないそんな連想に、久美子は苦笑した。疲れているんだと思った。若い時のように活気にまかせて動きまわっているが、やはりもう若いとはいえないんだと、ふっと弱気がさした。何と比較しての若さなのか、比較の対象は幸子であり、章史であろう。

章史と自分が、仕事を通して、一種の特別な親愛感に結ばれていたと思ったのは、幻想だったのだと、久美子は覚めた感じで、はっきりと考えた。

やはり章史に期待するものがあったから、目をかけたものの、章史の人間にどこか惹かれていたから、思い入れが強かったのかもしれない。現実の章史の暮らしぶりを見、幸子のような女房的存在の若い女と会ってしまえば、もう章史にかけた才能の開花への夢もさめたような気がする。

　自分の心の動きの現金さに、久美子はわれながら厭になってきた。その心の動揺のとばっちりをまともに受けた幸子こそ、いい迷惑だっただろうと思うと、久美子は幸子が可哀そうになった。

　ふりむくと、幸子がある間隔を保ちながらついてきていた。

「きついいい方したようね、ごめんなさいね」

　幸子はびくっと肩をふるわせ、

「いいえ、わたしこそ、何だか無神経なことばかりいったと、今、しょげてたんです」

といった。

「ずいぶん歩いてしまったわ、あ、章史さんが探してる、声をかけてあげなさい」

　沼のレストランから、半周近くも遠ざかっていた。

「おおい」

　幸子が力のこもった高い声をはりあげて、手を高く振った。

　三度めくらいに章史が気がついて、向こうでも手をふり、こちらへ向かって歩きだした。

「もう帰りましょう」

　幸子をうながして、久美子は章史の方へ歩きだした。

「章史には話してありませんけど、栄子さんが、近くに帰ってるんです。たぶん、わたし、ここにそう長くいないと思います」

　久美子は返事が出来ずだまっていた。

章史との距離がだんだん縮んでくる。

「栄子さんの方が、章史にいい作品を作らせるんでしょう。そう思ってらっしゃるんでしょう」

久美子の横顔に目をあてて、幸子が強い声でいった。章史の表情が見える地点まで、久美子は返事しなかった。章史の白い歯を見ながら、久美子はいった。

「章史さんはあなたを選ぶと思うわ」

紫陽花(あじさい)

去年、栄子が剪(き)りこんでおいた家のまわりの紫陽花が淡く花を開きはじめた。梅雨がすぎる頃、栄子は、紫陽花の枝を剪り、ナイフで鋭く切り口をとがらせ、雨にうるおった土の中へさしてゆく。

「そんなに簡単につくものか」

と、笑って見ていた章史も、年毎に、さした枝が地に根づき、蕾をつけ、花を開く不思議を見て、自分でも手伝うようになっていった。栄子は紫色の花が好きで、一度章史が、町の花屋で濃いローズ色の華やかな紫陽花の小鉢を見つけ、喜ぶかと思って買ってきたら、

「こんな色きらい、暑苦しくていやよ」

と、そのまま鉢で枯らせてしまい、土に移そうともしなかった。

七色に変わる花など気味が悪いと章史がいうと、栄子はなぜかしゅんとして口もきかなくなってしまった。

栄子がこの季節にどこかで、自分がふやしつづけたこの家の紫陽花の花ざかりの光景を思い出しているのではないかと思うと、章史は歯ブラシを使いながら心が傷む。

幸子が何も知らず、惜し気もなく花を剪りとり、章史の壺にたっぷり活けたりすると、章史はふと、目のやり場に困るような気がする。

栄子が、花を育てられるような家で暮らしていてくれたらいいがと思う気持の底には、栄子の不幸をほとんど確認しているような推測があった。

章史がしきりに栄子のことを思い出すようになったのは、一週間ほど前からだ。

その日、梅雨のはしりのような雨が朝から降っていた。

隣町の温泉宿へ、注文の小皿を届けての帰り、章史は踏切で車をとめていた。駅から電車が走り出て来て、章史は何気なく目の前を通過する電車を見上げた。

その瞬間、車窓に向かい立っている人々の中に白い女の顔を見た。あっと思った時、面のように見えた女の顔にもある表情が走った。

栄子！　という声は咽喉にからんで口に出なかった。女の顔の浮かんだ窓はたちまち遠ざかり、無数の顔が目の中に残っている女の顔を通過していった。

家に帰った時、幸子が顔を見るなり、

「何かあったの、納品うまくいかなかったの」

と訊いた。暢気(のんき)そうでいて、気味の悪いくらい敏感な幸子の神経を、はじめてうとましいと感じた。

「別に、どうして？」

「顔色がおかしいわ。青いんじゃなくて熱っぽそう。風邪かしら、お風呂が丁度いい加減だけど、よした方がいい？」

「後で、好きにする」

ほっといてくれといいたい言葉をのみこんで、章史は、部屋に入り、大の字に寝て天井を仰いだ。

――ね、あのほら、電灯の右横の天井のしみ、兎に見えない？――

栄子のいつでも低く囁くようだった声が耳もとによみがえってくる。

あの時、何と答えたか、どんな会話につづいていったか覚えていない。

今、見てみると、無理にそう思えば、天井のしみは兎に見えないこともなかったが、章史の目には汚れた水が地面につくる水たまりの不確かな形にしか見えない。

栄子がそのしみを、雪兎と見たのか、月宮殿（げっきゅうでん）で餅をつく兎と見たのか、鰐の背を飛ぶ因幡の兎と見たのか想像もつかない。

何年も夫婦として暮らしていながら、自分は栄子の何を知っていたのだろうと、章史は暗澹とした気分に引きこまれていく。

踏切で一瞬に目を合わせた電車の中の女が本当に栄子だとしたら、栄子はこの近くに戻って来ているのだろうか。

あれがもし栄子だったとしたら、栄子は幸せではないのだろう。女の顔は章史と目をあわす前は青白い、陰気な表情をしていた。もしかしたら、その顔があんまり不幸そうだったから、他の乗客の顔の中から、きわだっていたのではないだろうか。ここにいる時、栄子は無口でおとなしかったが、陰気ではなかった。

幸子が二度ほど覗きにきたのを知っていたが、章史は気がつかないふりをして狸寝入りをきめこんでいた。幸子が足音をしのばせて毛布を章史の上にかけていった。

幸子の見るからに幸福そうな表情や身のこなしが、今日の章史には憎らしくなる。なぜ自分は幸子とあんなに簡単に結ばれてしまったのだろう。もっと、もっと本気で栄子を探す努力をつづけるべきではなかったのか。

その夜、章史はしたたかに酔い、そっとのばしてきた幸子の手を、酔ったふりをして払いのけた。

あれからもさり気ない日が流れている。一夜明ければ、車窓の女が果たして栄子だったかどうか確信もなくなったし、よしんば、栄子だったとしても、自分で帰って来ない以上、追いかけることもないという考えに落ち着いた。

幸子との間もさり気なくもどり、幸子もその日の不可解な章史の不機嫌について訊こうとも触れようともしなかった。利口な女だから、下手に触ると危ないと感じているのかもしれないと章史は思った。

それでも、時々、ふっと、栄子の俤(おもかげ)が瞼に宿るようになっていた。

どこかから、栄子の助けてくれといっている声がしているような、白昼の幻聴を聞くことさえあった。

ふっと箸をとめて幻聴に耳を傾けているような一瞬があって、気がついたら卓の向こうから幸子がじっと章史を見つめている。

「どうかしたの、どっか悪いんじゃないの」

とうとう幸子が口をきった。もうこれ以上がまんがならないという切羽つまった真剣な表情をしていた。

「このごろ、とても変よ、食欲が減ってること気がついてるの？　自分で」

「めしがうまくないんだ」

「わたしの作るものが？」

「ちがう」

章史がきっぱりいった。

「じゃ、何なのよ。一度ドックに入ってみたら？　気分の問題じゃないとすれば、それはもう絶対どこか病気なのよ」

幸子の目はまだ章史の言葉を納得していないと語っていた。

「わたしが居るのがうっとうしくなったなら正直にいって……もっとも、いってくれなくたって、こんな状態があと半月つづいたら、わたしの方から出ていくわ、誰かさんのように」

「厭味ないい方はよせ！　何だそのいい種は」

「だって、あんまりなんだもん。何をいっても上の空よ。それとも誰か好きな人でも出来たの」

「だから、そんな気分じゃないんだっていってるじゃないか」

「へえ、わたしはそんな気分も、こんな気分も、説明してもらったことなんかないわ。ひとりで不貞くされてるって感じじゃないの」

「わかった。おれが悪かったよ。何だか、何もかも面白くないんだ。久美子さんがいったけど、おれはやっぱり才能なんてないのかもしれないと思う」

「そんなことわかるもんですか。久美子さんだって、才能はあるっていったわよ。ただ、今のような生活の中から、きびしいいいものなんか生まれないっていわれたんじゃないの」

章史は愕いて黙っていた。いつ、幸子がそれを聞きだしたのかわからない。もしかしたら、久美子と自分の会話を盗み聞きでもしていたというのか。

「そんなにびっくりしないでいいわよ。わたしが草餅持って行ったら、あなたたちの話し声が……いえ、あの時は久美子さんひとりの声だったわ、それが聞こえたのよ。悪いと思ってまた台所に引きかえして、しばらくして出直したのよ」

「でも、それだけじゃないな、やっぱり、自分で何か、もうひとつ大切なものが見つかっていないんだ。技術じゃない、もっと精神の問題だ。要するに自信がないし、やる気もないということだ。たるんでるんだ」

「それはこの生活のせい？」

「そうとばかりはいえない。しかしいくらかはそれも影響してるだろうなあ」

ふっと章史は、こんな廻りくどい話などより、実はと、この間、踏切で見た幻のような面影について、正直に話せばどんなに楽になるだろうと思った。

「もし、わたしと暮らしてることで、やる気がなくなったり、たるんだりしてるなら遠慮なくいって……いつでも出ていくわ」

「馬鹿なこというな……何もそんなこといってやしないじゃないか、ひがみっぽいことというのは似合わないよ」

「そうかな、それじゃ、いてもいいのね」

「当たり前じゃないか」

幸子はふいに立ち上がると台所へ走っていった。泣いているなと章史は感じた。幸子の泣く気持が章史にはわかった。

立っていって抱いてやればいいと思いながら、章史はそのまま頭の下に腕を組み、天井を見上げた。

天井のしみがふいに、耳を立てた兎に見えた。

絵つけをしながら、幸子が鼻唄を歌っている。聞き馴れないメロディーが素朴で章史は土をこねながら、ふっと耳をかたむけた。

「それ、何の歌?」

「え? 歌?」

「今、鼻唄歌ってただろ」

「あ、そう、気がつかなかった」

無意識に鼻唄が出るほど幸子の気分がいいのかと思うと、章史はくすぐったい。久しぶりに今朝方、自分から幸子の軀を引きよせてやったのだ。幸子は飢えた赤ん坊が乳首にむしゃぶりつくように、章史にしがみついてきた。

燃えるだけ燃えつきると、幸子は死んだように眠りこんだ。

章史が先に起き、電気釜のスイッチをいれてやった。

起きてきた幸子は、

「体重が二キロぐらい減ったみたい、気持がいいわあ」

といいながら、土をこねている章史の背後から抱きつき、背中に頰を寄せてきた。

「馬鹿、さっさと飯の支度をしろ、朝っぱらからヘンな声出すな」

「また感じちゃう?」

章史は足で幸子を蹴る真似をした。

けたたましく笑いながら幸子は台所へ入っていく。

単純でいいな、章史はその後に、女は、というべきか、幸子はというべきかと迷った。自分自身も軀が軽く、全身に風が吹きぬけているような気分なのを感じていた。

単純なもんだな、人間は。と、章史は口の中でいい直した。

幸子がゆっくり言葉にして歌いだした。

『祖谷(いや)のかずら橋や　蜘蛛の巣(ゆ)のごとく
風も吹かんのに　ゆらゆらと

吹かんのに　吹かんのに　風も　風も吹かんのに　ゆらゆらと』

ゆっくりしたメロディーにのって、歌詞がやわらかく素直だった。

幸子の声ははりがあって、歌詞が聞きとりやすい。

「いい歌だね、それはどこの歌？」

「阿波の祖谷の民謡だって」

「どうして幸子が知ってるんだ」

「うちのおばあちゃんが、祖谷の人だったんだって。みつまたの仲買い人と一緒になって、うちのおかあさんがおなかに入って、昔のことだから、村に居られなくって駈け落ちしたんだってよ」

「へえ、情熱的なんだね」

「きれいな人だったわよ、おばあちゃん。おかあさんからわたしと、だんだん器量が悪くなったけど……おばあちゃんはちんまりした目鼻の上品な古いお雛さまみたいな顔してた」

「幸子のいくつまで生きてたの」

「おかあさんの方が早死して、おばあちゃんはわたしが小学校に上がる頃まで生きていたわね。おばあちゃんに育てられたようなものよ」

「もういっぺん歌ってくれよ」

幸子はまた声をはりあげた。祖谷は平家の落人部落だと、どこかで聞いたような気がする。

幸子の哀切な歌声はまだつづく。

『祖谷のかずら橋やゆらゆらゆれど
　主と手をひきゃ　こわくない
　手をひきゃ　手をひきゃ　主と　主と手をひきゃ　こわくない』

歌声を聞いているうちに、この頃、ずっと自分の鬱屈をたてにとり、幸子に辛く当たっていたことが可哀そうになってきた。

幸子の祖母の故郷というところへいってみたいような気がしてきた。貧しい生活をしてきたという幸子は、自分の育ちの辛さをかくさないし、自分の貧しい生いたちを卑下もしていない。明るさや暢気さは天性のものなのか、育ちの暗さが、身にも心にもしみついていない。

「いっぺん、旅行にでもいくか、ふたりで」

章史がひとりごとのようにつぶやくと、幸子はぎょっとしたように手を休めて、章史の顔を見つめた。

「気でも変になったの?」

「どうして」

「いきなり、そんなこというんだもの」

「今、思いついたんだよ」

「ふうん……あのね、子供の頃、近所の家で親子心中しようとした母親がいたの。亭主に女が出来て、帰って来ないし、金もよこさないので絶望したのね。その子はわたしと同い年だったの、小学校に上がったばかしのころよ。急におかあさんが仕事休んでみっちゃんというその子と遊びに出たのよ。公園へいったり、デパートへいったりして、みっちゃんを喜ばせて、最後にデパートの食堂で、何でもほしいものをお食べっていったんだって。何を食べていいかわからなくて、ウインドウに入っている見本を何べんも眺めて、結局みっちゃんは旗をたててあるお子さまランチを注文してもらったんだって。食べてしまうと、おかあさんが、アイスクリームも注文してくれたんだって。みっちゃんはどうしてそんなに気前よく御馳走してくれるのかわけがわからないまま、食べに食べたんだって。そしてその夕方、おかあさんが山へつれていって、首をしめようとしたんだって。幸い、未遂で終わったけど、みっちゃんが逃げだした後でおかあさんが、首を吊って死んでしまったのよ。それ以来、みっちゃんは、人から思いがけない喜びを与えられると不安になって落ち着かないみたい。人が御馳走してくれるというのは眉つばよって、わたしに教えてくれたわ」

「その話と、旅行と、どういう関係があるのかな」

「だからさあ、急に嬉しいことといわれると、とっさに警戒心が出るのよ、喜ばしておいてぐさっ、なんて」

章史が笑い出した。

「笑いごとじゃないわ。ね、本心はそうなんでしょ。もう別れたいんでしょう」

「馬鹿なことというなよ。そんなに疑いぶかいとは思わなかった」

「それじゃ、本気のほんとの話？」

章史はうなずいた。ひとりでも、旅に出ようと思いはじめていた。

船で大阪から徳島へ渡り、幸子は大鳴門橋が見たいという。どこへ行ってもふたりは仲のよい夫婦に見たてられた。それほど自然な形にふたりがよりそうように見えるのかと、章史はくすぐったい想いがした。

時々、はしゃいでいる幸子の姿の上に、栄子の淋しそうな横顔が重なるのを、つとめて章史は払いのけようとした。顔に細い蜘蛛の糸がべっとりくっついているような気持の悪さがあったが、それを全部洗い流してしまうのも惜しいような、捕えどころのない未練もあった。

一方この旅の途上で、必ず栄子の俤を落として来ようという決意のようなものもあった。

船の中でも、バスの中でも、列車に乗っても、幸子はすぐ友達をつくった。というより相手は幸子のペースにまきこまれて、幸子と十年の知己のようになってしまうのだ。

章史はそんな時、ひとりになって、空や、川や山に視線をやった。

旅に出る前、幸子のいったみっちゃんという友達の話が、時折章史の頭をよぎった。栄子の顔と似た頻度で、それはあらわれる。

幸子の話を聞いた時、笑ってすましたが、自分の心の底の底には、幸子と別れる前のせめてものプレゼントのつもりが旅の計画の中になかったとはいいきれない。

幸子といるかぎり、その快適さの中に埋没してしまって、自分へのきびしさを見失いそうな気がする。かといって幸子と暮らす快適さを自分からきっぱり捨てきる勇気もない。

章史はそんな自分のだらしなさを自嘲していた。

大鳴門橋はスマートで、車で渡れば、あっという間に淡路の福良についてしまう。

渦潮(うずしお)も橋の上から見えるというので、観光客は想像以上に多かった。

四国ははじめての章史は、もっと鄙びた田畑のある所を勝手に想像していたので、都会的な町のたたずまいや、人々の姿に一々びっくりしていた。

タクシーの運転手が吉野川の下流に十郎兵衛屋敷があるから見ていかないかという。

「そこへいきましょうよ、巡礼おつるの生まれた家よね」

幸子が身を乗りだす。章史は浄瑠璃の巡礼おつるの話は、うろ覚えに知っているが、あくまで話は浄瑠璃作家の創作だとばかり信じていたので、邸跡などといわれて面くらった。

「あれは作り話じゃなかったの」

「いえ十郎兵衛は実在の人です。おつるが親を訪ねて巡礼するというのは作り話かもしれまへんけんど、十郎兵衛はこのあたりの庄屋で、ほんまにいた人です」

白髪の濃いタクシーの運転手は、まるで十郎兵衛が自分の伯父か祖父のように親しげにいう。

「ととさんの名は阿波の十郎兵衛、かかさんの名はお弓と申します」

突然、幸子が黄色い声をはりあげて浄瑠璃をうなったので、章史は車の中で飛び上がってしまった。運転手は上機嫌だった。

「奥さんお上手でんなあ、こっちのお生まれですか」

宿は運転手に案内され、眉山の下にあるホテルに泊まった。

すぐ近くにモラエスの墓のある寺がある。

モラエスといわれても章史は知らなかった。

「ポルトガルの領事はんで、徳島から行ってたおよねさんという芸者と仲ようなって、およねさんにひかされて、よねの死後徳島へこられはったんですわ。よっぽど阿波女と徳島が気にいったと見えて、それから死ぬまで徳島に住みついてしまわれました。およねさんが死んでしもて、その姪の小春さんといっしょになって、可哀そうに小春さんも死んでしもて、モラエスさんだけが残って、晩年は気の毒だったそうです。ほなけんど、モラエスさんは、ポルトガルではえらい作家で、日本でいうたら小泉八雲や、夏目漱石みたいな有名な文学者やったそうでっせ」

「おじさんもなかなかの学者ね」

幸子がまぜかえす。

「おだてたかて何もでえしまへんで、奥さん。ま、運転手してたら、これくらいのガイドは誰でも一通りしますがな」

「おばあちゃんに聞いた話だけど、その小春さんていうのは恋人がいて、いやいやモラエスの愛人になったんだってね」

「へえ、大工の恋人がいたようで、子供も一人生んでますが、それはモラエスさんの子やなかったいいますなあ、けんど、どして奥さんそないよう知ってはるんです?」

「だから、おばあちゃんに聞いたっていったでしょ。うちのおばあちゃんは祖谷の人で、駈け落ちしてしばらく徳島にいて、それから大阪へ渡って転々としたらしいの」

「へえ、ロマンティックですなあ」

何もそこまで話さないでもいいのにと、章史は呆れたが、幸子のざっくばらんな話に、運転手はすっかり幸子が気にいって、明日もガイドをしていいという。

明日は列車で祖谷入りをするというと、夜、ふたりが散歩に出た留守に、祖谷のパンフレットや地図の類いをフロントに預けてくれてあった。

幸子はツインベッドのひとつから、さっと章史のベッドに身を移してきた。

「来てよかった？」

胸に顔をよせながらいう。

「こっちで訊くことだよ、それは」

「あたしは嬉しくて、はしゃぎきってるじゃないの、あなたは、ずっと、むすっと口をつぐんで、眉間にしわよせて、難しい顔してるわ。つまらないんじゃないかと思って」

「そんなことないよ、結構愉しんでる」

「それならいいけど、運転手もあなたがトイレにいった後で、旦那さんは神経質なお方ですねっていってたわ」

「ちがうよ。こんなに喜ぶなら、どうしてもっと早く、近くでもいいから旅につれていってやらなかったんだろうと思ってたんだ」

「栄子さんを？」

不意をつかれて、章史はとっさに絶句した。

「どうしてそんなことというんだ」

心の底を見ぬかれた狼狽から、章史の声はとがった。

「ことばがつい口をついて出るだけよ。何も深い意味ないの」

「いっていいことと、悪いことがあるよ。少なくとも、今はぼくらはふたりではじめての旅を愉しんでるんだろう。その時、ぶちこわすようなことはいわないのが礼儀じゃないか」

「ごめんなさい。悪かったわ」

あっさりあやまりながら、幸子は章史の脚に自分の脚をのせ、躯をぴったりと章史の躯に押しつけてきた。

幸子の手が、章史のつけていた宿の浴衣を脱がせにかかる。手は器用に動きながら、幸子はまだ言葉をつづけていた。

「でも……そんなに顔色かえて怒ることかしら……あの人の話はタブーというより神聖にして犯すべからずみたいな扱い方が、あたし気にいらないのよ」

「そんなつもりは毛頭ないよ」

「そうかなあ……かくさなくったっていいわ、あたしの望みは、世界中で一番あなたを安らがせる人間になりたいということなの。だから、何もかくしごとなしにしてもらっていいのよ」

「かくしたりしていないよ。ただ人間って、自分自身で自分の心に何があるか、最後までわからないんじゃないかな」

幸子は章史が話している間に、章史の上に軽々とよりそい、すんなり躯を結びつけ、とけあわせていた。

もう章史の言葉など聞いていないように、全身を波打たせ、ひとりで自分で快楽の波を呼びよせている。

章史も幸子の呼吸の激しさや次第に増す軀の熱さに、そそのかされ、抑えきれない快感が背骨をつきあげて走るのを感じた。いきなり力強く身を転じ、位置を変えると、幸子を組みしきながら、思う存分に幸子の軀をさいなんだ。

いつでも章史は幸子と交わる時に、愛撫しているのか、責めさいなんでいるのかわからないような気持になってしまう。幸子は章史が乱暴に扱えば扱うほど、喜びの声を臆面もなくほとばしらせる。

幸子は性愛を楽しむものだと決めていて、その快楽は徹底的に享受するのが、人間として生まれてきた甲斐だと主張する。

「好きどうしが愛しあって、軀で結ばれ、喜びをひとつにして味わうくらい人間的なことはないでしょう」

「するのは人間だけじゃないよ、犬でも猫でも小鳥でもやっている」

「犬や猫に聞いてみないからわからないけれど、彼等はする前は狂気じみて必死になるけど、さてその段になると、人間ほど嬉しそうでもないわよ」

「観察したのか」

「別にとっくり観察したことないけど、それほど嬉しそうな顔しながらしてる犬や猫みたことないわ」

幸子の話はいつでも最後に章史を笑わせてしまうのだ。

栄子は、幸子ほど、自分を解き放ったことはなかったように思う。性の話を露骨にしたりするのは嫌がったし、性交の最中に、章史が快感の度を訊いたりすると、かえってさめてしまうようだった。

もしかしたら、栄子は自分から、本当の性愛の喜びを味わいつくしてはいなかったのかもしれないと、章史は思ったりする。

女の心も性も、所詮男は想像するしかない。女の喜びの表情や声も、女が演技すれば、男はだまされてしまう。女を識りつくすことなど出来ないのだと章史は思う。

幸子は性愛の後、疲れで泥のように眠っている時も、指は章史の性器に触れている。その手を払いのけようとすると、無意識に手をのばし、あわてて前よりしっかり章史の性器を掌に収めてしまう。目覚めているのかと、頬をついてみても、一向に反応しない。低い、蜂のうなりほどのいびきが、薄くあけた唇からもれている。

章史は、幸子がしみじみいとしくなった。

栄子をあわれだと思う心と、幸子をいとしく思う心はひとつのものかもしれない。もし今、栄子が帰ってきて、ふたりの女がそれを許してくれるなら、三人で住むことが可能なら、自分はそれを一番望んでいるのかもしれないと思う。自分の身勝手さに呆れながら、章史はゆっくり睡魔の誘いに溺れこんでいった。

夜の間に雨があったらしく、翌日は雨に洗われてまぶしいような新緑が眉山をおおっているのが、目にすがすがしかった。

寝たりた晴れやかな顔で、幸子がコーヒーをのんでいる。

「ごめんなさい。もうおなかぺこぺこで待てなかったの」

どうやらトーストも食べ終わったらしかった。

「さっきから、起こそうかと思ったけど、あんまり気持よさそうに眠ってたから、起こさなかったのよ。夢みてたでしょう」

「いや」

章史は嘘をいう時の弱い声でいった。

「そう」

「なぜ」

「コーヒーとりましょうか、それとも起きて食堂にいってみる？」

「とってくれ」

章史は洗面所に入った。

幸子が電話で朝食をてきぱき注文している。

章史は髭をあたりながら、目覚める瞬間に見ていた夢を思いかえしていた。

鏡の中には、いつもの見馴れた顔がある。

どうしてあれだけ幸子と燃えつくした後に、まだあんな夢を見たのかと、不気味だった。夢では栄子と媾っていたのだ。栄子に声をあげさせようと焦っていた自分の苛だちが、まだ後頭部にこびりついているような気さえする。

人間の心の襞(ひだ)はどんなに複雑に作られているのか知りたいと思う。

幸子が名物の焼き餅はどこへ行けば食べられるのかと、朝食を運んできたボーイに訊いている。

いくつものトンネルをすぎ、列車は吉野川ぞいにさかのぼり、池田の町へついた。

静かな落ちついた町のたたずまいに、章史はここで時間を費やしたいと思ったが、幸子が先を急ぐので祖谷へそのまま行った。

大歩危(おおぼけ)の駅で降りると、目の前にせまった峡谷にはさまれ、清滝が岩にはばまれながら流れていた。山肌の新緑のしたたりが流れになだれこんだように、渓川の水もエメラルド色に染まり、岩にくだける川波のしぶきの白さが冴え冴えと輝いている。

大小の岩が打ち重なりながら渓を埋めている景観が、名所と呼ばれるだけの迫力があった。

列車も通らない頃、この渓ぞいの小道をたどった旅人は、雄大な奇観に感嘆する前に、足をふみすべらせる危険を感じたから、この名がついたのかもしれないと思う。

小舟が渓流に流され、小気味いい速さで下っていく。川の観光舟らしく、乗客が岸に向かって手をふったりしている。

「あの舟にも乗りたいわ」

ふりむくと、幸子がしきりに舟にむかって手をふっているのだ。舟の乗客はそれに応えて手をふっているのだった。

駅前からタクシーを頼み、かずら橋まで運んでもらう。

「お客さんはじめてですか」

「ええ、そうよ」

この運転手も話し好きらしい。

「お泊まりはどこですか」

「徳島のホテルで頼んでもらった奥小歩危(おくこぼけ)の旅館よ」

「ああ、あそこは静かでよろしいですな」

「祖谷はどこでも静かじゃないの」

「そらもう静かですけど、やっぱり車が通ったり、人の通る道ばたは賑やかでっしゃろ」

「運転手さんはここの人?」

「へえ、そうです。若い時、ちょっと徳島へ出ましたけんど、おやじが死によったんでもどりました」

「平家の落人部落ってまだあるの」

「落人部落いうたって、祖谷には源氏も住みついていて、源平同居してますわ」

「へええ、源氏がいるのは知らなかったわ」

「そうでっしゃろ。けど居りますんや。源氏でも、昔のことやから、何かあって流されたとか、そういう人でしょうなあ」

「今、どの人が平家か源氏かなんて、すぐわかる?」

「そんなもん、わかりますかいな。両方とも瓜実顔で、目鼻立ちが上品で、古いお雛さんのような顔してます。祖谷いうても広うて、東祖谷と西祖谷があって、そのどっちにも、両方の子孫やいう人が居ります」

運転手は観光客に馴れているらしく、安徳天皇のお墓の話や、平家の赤旗の話などを、喋りつづける。

章史はそのほとんどを聞かず、ただ車窓をかすめていく、新緑の輝きにうっとりと見惚れていた。通りすぎる農家のどの庭にも紫陽花の瑠璃色が群れている。

「お客さんええ時、来られましたわ、昨日からテレビ局のロケ班が来て、民謡の取材してますんや。運よういたら、祖谷で一番上手な人の粉ひき歌聞けまっせ」

「へえ、豪勢ね、どこで聞けるの、まっ直ぐそこへいきましょうよ」

「何でも、かずら橋の下でやるいうてましたわ。わしの友だちが、そのロケ班の車にやとわれて、昨日も自慢らしゅういうてました」

運転手は自分がその班からもれたのを残念そうな表情でいう。

かずら橋には五トンのかずらの木が必要だという。この頃では段々かずらが少なくなったので、今植えているが、それは五十年もたたなければ使えないだろうという。

絵や、写真で見たような気もするが、章史はかずら橋のことに全く無知なので、大して興味もない。

それでも聞くともなく運転手の話を聞いていた。祖谷に伝わる民謡のほとんどが、労働の歌だというのに心がひかれた。

「うちの母親がよういうてました。もう今時は祖谷でも、家でひきうす廻すようなことしいしまへんけんど、昔はみな、家ごとにひきうすで雑穀ひいて、それを団子にしたり、麺に打ったりして食べてたもんです。ひきうす廻して粉をひくのは女の役目でした。子供もやらされます。小さいからだで棒にとりついて廻します。夜なべ仕事ですさかい眠とうなって居眠りしたら、からだの重みがかかるいうて、ようどやされたというてました。うちでも婆さんがそら、ええ声してて、みなに教えてたもんです。母親はそないええ声してまへんでしたなあ。へえ、一昨年母親ものうなりました」

「ふうん、男の人の歌うのはないの」

「そらありますがな。男かて働きまっしゃろ、草刈り歌とか、木樵り歌とかいろいろありまっせ」

「あなたは歌わないの」

「わしですか、ばあさんの孫なのに音痴なんですわ。それでも娘がばあさんの血いひいて、上手でっせ。今夜はテレビ局によばれて、夜、どこやらで歌うんやいうて、はりきってました」

それがいいたかったのだろうと、章史はおかしくなった。

「まだ結婚しないの」

「へえ、それが……恥いうようなもんですけど、中学出てまものう大阪へとびだしましてなあ。かずら橋のとこの土産物屋につとめてた時、声かけられた男の後追うていきよったんですわ。女房は気ぃ病んで寝こんでしまうし、えらいこってした。それがひょっこり去年の冬帰ってきよりまして」

「それはよかったわねえ」

「へえ、おおきに。何してきたのやら、くわしいこと聞きもせず喋りもしまへんけど、ネアカいうのか、けろけろして、自分で池田に仕事みつけて通うてます。声がええもんやけん、民謡歌う時はひっぱり出されてます」

「きれいなのね、きっと」

「何の、ほんまにおへちゃですがな」

かずら橋は、ゆるやかな弧を描いて渓流の上にかかっていた。

運転手のいったように、テレビのロケ班が来て渓流の巨岩の上に撮影や録音の機材を据え、物物しい収録の用意をしている。

人々が岸の両側から物珍しそうにそれを見ていた。橋を渡っている人々もいて、キャーキャーと悲鳴をあげているギャルたちもいれば、真剣な顔をひきつらせて、黙々と、へっぴり腰で渡っている初老の旅行客もいる。ギャルたちが騒ぐ度、橋がゆれるのか、他の人々が橋の手すりにしがみついて、こうもりのようにおとなしくなる。

「なるほど、これなら、向こう岸にいて、敵が近づけば、橋を切って落とせばいいわけだ」

章史が目のあたりに実物を見て、つくづく感心したようにいう。

突然、橋の下に歌声がおこった。

紺絣の着物を着て手拭いで姉様かぶりにした女が、渓流の中の青岩に腰をおろし歌っていた。

『祖谷のかずら橋ゃ　蜘蛛の巣のごとく』

歌声はまるく高く澄んで渓にこだまし、渓流にとけて流れていく。

橋の上の人々も、袂の人々もうっとり聞き惚れていた。

幸子は橋の袂でしゃがみこみ、膝に両肘をついて顎をのせ、うっとり聞いている。

「うまいわね、やっぱり」

幸子が感嘆すると、運転手が、

「プロじゃないけんど一番うまい人ですよ」

と自慢気にいう。歌の収録が終わるのを待って、幸子は章史を誘って渡りだした。

「主と手をひきゃこわくないって、歌の文句にもあるでしょ」

幸子は笑いながら、章史の手をとろうとするが、意史は足許が頼りなく、不安定で、幸子などかまっていられない。手すりにしがみついて、へっぴり腰で渡りきってしまった。

幸子はきょろきょろ脇見をしながら、後から来た人に話しかけたり、こんな時にも、悠々と愉しんでいる。

土産ものやには、でこ廻しという名物が並んでいて、幸子が食べたいという。

じゃが芋や川魚や、こんにゃくを串にさし、火のまわりにぐるりとつきさして焼けるのを待つ料理らしい。火があたるよう、ぐるぐるまわすから、でこ廻しというらしい。でことは木偶人形だと聞いて、ようやく章史はうなずけた。みんなたべてみたが、ふっくらしたじゃが芋が一番口にあった。芋はこの地方は質がいいのだという。そばは期待外れだった。

「もっとそば粉だけの、真黒なのかと思った」

と不平をいう章史に、幸子はとりあわず、お代りを注文して食べている。

奥小歩危のひなびた温泉宿はそこから遠かったが、長い旅をしたという実感が湧いてかえってよかった。

出迎えに出た若い娘を見て、章史も幸子も思わず、うっと息をのんでいた。

古代雛のような細面の美しい娘は、豊かな黒い髪をさっぱりと束ね、顔の線をことさらむきだしにしている。

眉が煙ったようになだらかでやさしく、目尻がきりりと上がった目は軽く吊り上がっている。

鼻筋が高くすっきりと通り、この頃、こんな端整な美しい娘はめったに見かけなくなっている。

化粧気がなく、白い頬が照り輝いているのも、文楽人形の肌のように見え、幸子は目を丸くして、

「美しい娘さんねえ」

と、大きな声をあげた。

娘が恥ずかしそうに肩をすくめて笑った。横から案内してきた運転手が、

「娘さんやないんです。ここの若奥さんです」

という。

「へえ、この若い方が奥さん？」

幸子がさっきより仰山な声をあげた。恥じらうと目許に紅がにじむ。そんな若い女の恥じらいの様も、もう町では見かけなくなっている。

通された部屋は奥まった廊下のつき当たりで、窓の外に渓流のひびきが爽やかに聞こえてくる。

「あっ、河鹿だ」

章史が窓ぎわにより、窓を更に大きくあけた。渓流の音を伴奏に、る、るる、るると、澄みきった河鹿の声があたりの空気をふるわせていた。

風が涼しく、外での暑気が嘘のように、ひんやり肌をなでてゆく。

さっきの美しい女が冷たいおしぼりや、冷えたお茶を運んできた。

「あなたの御先祖は平家の落人だったのですか？」

幸子がきくと、女は涼しい目を張って、

「いいえ、うちは源氏なんです。何でも源氏のうちの先祖が何かの罪を蒙ったか、戦に負けたかして、ここへ流れてきて、居ついてしまったんだそうです。平家の安徳天皇さんが逃げてこられたのは、まだその後のような話です。でも、わたしたちには、源氏だ、平家だいうたって、ピンときませんもの。うちの邸も昔は広大だったようですけど、わたしの赤ん坊の頃人手に渡ってしまって、わたしはずっと町で勉強してましたし」

口をきくと、はきはきした近代娘だった。

結婚してまだ半年だという。

「よく帰って来る気になったわね」

と幸子がいうのに、

「だって、都会はまるで毒の空気を吸ってるようでしょう。ここの空気と、美味しい水をのむだけで長生きするような気分になりません？」

と、反対にきかれてしまった。大学で建築を志していたこの家の主人も、美しい娘に惹かれて、さっさと、都会を捨ててきたという。

若者の村離れが、今では故郷回帰の風潮にもどりつつあると、美しい若妻は聡明そうに話すのだった。

「何もありませんけど、山菜が美味しいですから、ごゆっくりしていって下さい」

お辞儀の仕方は、お茶の作法を仕込まれているようにみえた。

枕の下に渓流の音が夜どおし流れていた。その上を、河鹿の声がすべっていく。

幸子は章史の下腹部に掌を置いたまま、じっと耳をすましていた。

いつの間にか渓川の流れも、河鹿の声も自分の体内を流れているような気がしてくる。

章史は眠りの淵に吸いこまれてしまったようだ。掌に規則正しい章史の呼吸が伝わってくる。

この旅の終わりに何がおこるか。章史は夢の中にも予想し得ないだろう。

幸子は自分が渓流の中にひたっているのか、渓流が自分の中を流れすぎているのか、わからないような気持になっていた。

ちょうど、章史との生活で、章史の中に自分が包まれているのか、自分の中に章史がとけこんでいるのか判然としないような気分になっているのと同じであった。

幸子は章史の胸に頭をそっとのせてみた。

章史はそれでも目を覚まさず、無意識に片手で幸子の軀をかき抱く。

幸子の目尻に油のように濃い涙がたまり、頰をつたわっていく。

涙が章史の胸を濡らさないように、幸子はそっと自分の涙を指先で拭った。

章史の仕事場の町から、三つ先の町へ訪ねて逢った時の栄子の表情や、声がなまなましくよみがえってくる。

栄子の居所を教えてくれたのは、くめだった。

「ちょっと気になることがあってね」

章史の留守をたしかめてから、くめが声をひそめてきりだしたのは、一ヵ月ほど前のことだ。

「ちょっと頼まれてパートに行った町の駅で、ここの奥さんに出逢ったんだよ」

「ここの奥さんて？」

幸子は息がつまりそうになってきいた。

「前の奥さんさ、栄子さんだよ」

「ふうん」

「声をかけそびれてしまったがね、あんまりとっさのことで、どうしようかと思ったら、ちょうどバスが出るところで、そっちへ走っていってとび乗ったからね」

「人ちがいじゃないかな」

「そう思ったさ、わたしも」

幸子は落ち着いた声とは反対に、頭の中は、炎がくるくる廻っているように熱くなっていた。

「ところが、二、三日して、また逢ってしまったのさ」

「………」

「わたしの働きにゆく時間と、奥さんが働きにゆく時間が同じなんだろうね」

「働いてるの」

「働かなきゃ食えないだろ、今時」

「だって……」

いいかけて幸子はことばにつまった。栄子には男がいないのかといいたかったのだ。

「ひとりでいるようだよ」

気の廻るくめがいった。

「大変らしいね、今」

「何をしてるの」

「あの町は縫製工場の多いところだからね、そんなところで働いてるようだ」

くめは、栄子とどんな会話をかわしたかまでは、さすがに口にしなかった。お喋りのくめが、幸子が栄子の後に這入りこんでいることを話さないわけはないと思った。

それから数日、章史の様子を黙って観察してみたが、章史は一向にそのことを知らないようだった。

その時幸子が考えたことは、あくまで知らぬふりを通し、何とかその間に、栄子にどこかへ消えていってもらうということだった。もし栄子が逢ってくれるなら、ふたりきりで逢い、自分の真情を吐露して、章史をあきらめてもらうしかないということだった。

やがて幸子は自分の虫のいい考えに自責の念が生まれてきた。

自分はまだ籍も入っていない内縁の妻だし、栄子はまだ籍の抜けていないれっきとした章史の妻なのだから、このまま、自分がここに居つくことは泥棒猫のようなものだと考えた。すると、栄子がここへ素直に戻ってこないことが、あわれになってきた。

引くのは自分の方だと思い定めた。幸子は決断力が速く、強いことを誇りにしていた。

くめにおおよその話を聞いていたので、逢いに出かけた時は、大して迷わず栄子の住居を訪ねあてることが出来た。小さなアパートで、栄子の部屋は外階段を上る二階の一番端の部屋だった。扉を叩いたが何の答えもなかった。何度めかに隣の部屋のドアから老婆が顔を覗かせた。いつも帰りは時間が正確だから、もう五分もしたら帰るだろうという。

「お茶でものんで待っていたら」

親切にいってくれたが、幸子は落ち着かず階段を下りて待っていたのだ。

隣の老婆のことば通り、間もなく栄子がもどってきた。アルバムで覚えている栄子は、写真よりやせていたが、こざっぱりした身なりで清楚な感じがした。

幸子が声をかけるとふりむいて、不審そうに幸子を見た。

「すみません、突然おしよせて。わたし、章史さんのところにいる者です」

　というと、あっというように半歩、身を引いた。

「ちょっとお話させていただけないかしら」

　幸子は、一たん口を開くと、日頃の自分を取りもどすことが出来、落ち着いてきた。

　顔色が変わった栄子は、うなずいて先に階段を上った。

　足音を聞きつけて、さっきの老婆が顔をのぞかせた。

「お帰り、さっきからその方が待っていられたよ」

「ありがとう」

　栄子の背後から幸子がいった。

　栄子は鍵を出し、先に入ると、はじめて、

「どうぞ、汚いところですけど」

　といった。幸子は悪びれず入っていった。

　一間の部屋は、幸子の東京の部屋を思い出させた。部屋は家具らしいものもなく、さっぱりして、きれいに片づいていた。

栄子はことこと音をさせていたと思うと、手早く小さなお盆に湯呑みを二つのせて持ってきた。

「茶托もなくてごめんなさい」

といって、お盆にのせたまま、幸子に茶をすすめ、自分もひとつを膝の上にとりあげた。

悪びれない自然さに、幸子はいくらか圧倒された。

平凡なスカートにブラウスというみなりは、むしろ地味すぎたが、素顔に近い栄子の色の白さが洗いたてのように新鮮で、つくろわない眉がぼうっと霞み、一重瞼のいくらかはればったい瞼に、妙に色気が滲んでいた。

栄子の美点ばかりが目について、幸子は胸がつまるように思った。

幸子が持ってきたケーキを出すと、栄子はその場であけて、幸子にすすめた。

「わたしのこと、聞いてた?」

幸子が単刀直入な聞き方をすると、栄子はちょっと顎をひいて黙っていたが、

「こっちへ住むようになってから、人伝てに」

といった。

「ここへ移られたのは、あの家に近いからですか」

「いいえ、そうではないの、わたしの遠い身寄りが就職の世話をしてくれて……わたしには身寄りがすくないんです。……その就職先がここだったんです。近すぎるかなと思ったけど、もう背に腹はかえられないほどゆきづまっていたから……」

栄子の話し方には、昔からの知己に話すように、何の防禦（ぼうぎょ）もないのが不気味なくらいだった。およそ人を疑うということを知らないらしい。

「章史さんは全然気づいていないのよ」

「そうでしょう、だって気づいたって、どうしようもないことだし」

「わたしがあなたの留守に居ついてしまったみたいだけど、まだ戸籍ではあなたが奥さんで、わたしは他人なのよ。あなたはいつ帰ってもいい家なのよ」

幸子は自分のいい方が、まるでうんと年下の者にいいふくめているように聞こえておかしくなった。

栄子はびっくりしたように目をあげて幸子をまじまじと見た。

「……そんなこと……」

とても考えられないとその見はった目が語っていた。

「どうして？　権利があるわ、いつでも帰っていいのよ。遠慮はいらないわ」

「だって、わたしは……好き勝手してあの人を裏切って出たんですもの、帰るなんて考えられないわ」

「その人とはどうして？　別れたの」

栄子は黙った。膝の上に揃えた白い掌には、指の付け根にえくぼが並んでいる。その上に、ぽたぽたと大粒の涙が落ちてきた。

幸子はその涙をじっとみつめていた。なぜだか自分の瞼にも涙がたまってきた。

「死んだんです」

「ええっ」

幸子は自分の耳を疑った。

「罰が当たったんです」

「…………」

「でも、悪いのはわたしだっていっしょなのに、あの人ひとり死ぬなんて」

栄子は激してくるものを抑えきれないように、顔に手をあて、泣きむせんだ。しまいに畳に突っぷして泣いた。

気がつくと、幸子はそんな栄子の背を撫でさすりながら自分も泣いていた。事情がよくわからないまま、こんなに身も世もなく泣く栄子の悲しみが、骨身にひしひしせまってくる。

ようやく落ち着いた栄子は、泣きはらした赤い顔で、ぽつりぽつり、話しだした。これまでひとりで耐えてきたものを、誰かに話すことが出来るというだけで、栄子は解放されているようだった。

栄子とほんのしばらく東京で暮らした男は、タクシーの運転手だったという。

章史が上京している留守、道に迷って章史の仕事場に入ってきた。たまたま激しい雷雨があり、雷の嫌いな栄子は真青になって震えていた。

男は栄子の子供っぽい恐怖心を慰めるつもりで立って来て抱いた。その瞬間またもや雷が激しい音をたてて屋根の上に落ちて来た、と栄子は思った。近くの森に落ちたのだが、その時の栄子は自分の真上に落ちたように思い、男にしがみついていた。沛然と降る雨の音だけが聞こえる異様な空気の中で、栄子はわれにもなく、男に抱かれていた。倒されていく時、耳の中でふたたび雷鳴がとどろいたように思ったのは錯覚だった。気がついた時、すべては終わっていた。

異様な状況の中で異様な体験をした栄子は、その体験によって、思いもかけなかった世界につれこまれたことを知り茫然とした。章史からは得られなかった恐ろしいほどの快楽を男の行為から受けていた。

「章史が帰ってきたら、すぐすべてを告白して謝るつもりでした。それなのに、顔を見たら、それが出来なかったんです」

栄子は顔をひきつらせるようにしていった。

幸子は栄子の心の痛みがいやというほどわかってたまらなかった。

何も知らない章史に抱かれる度、栄子は全身と心がすくみきって、以前のように素直に快楽の中に入っていけなくなった。

栄子は良心の苛責というより、どうしようもない苦しさから逃れるために、家を出てしまった。

幸いなことに、男は純情で誠実だった。男は栄子と暮らすことを喜び、けじめをつけるため、章史に話をつけに行こうとした。その都度必死になってとめたのは栄子だった。

章史に自分の過失をありのままに告げ、懺悔することが出来たら、どんなに救われるだろう。しかしそれを知らされる章史のショックを思いやっただけで、栄子は恐ろしく、とても章史にそれを告げることは出来ないと思うのだった。何れにしろ、どんな方法にしろ、自分の過失の罪が軽くなったりしてはならないと栄子は思うのだった。

「そんなに遠慮することないと思うのだけれど」

幸子は栄子の謙虚さにすっかり感動してしまった。

「わたしのこと憎んでるでしょ」

幸子が自分でも思いがけないことをいうと、栄子は目をまるくして即座にいいかえした。

「どうして？」

栄子は幸子の目をみつめながら、

「わたし、家を出て以来も、章史さんのことずっと心配しつづけていました。夜なんか、変な話だけど、なくなった人といっしょに寝ている時に、特によく思い出すんです。あの人は今ひとりで、どんなに淋しいだろうと、寝顔や寝様まで思い浮かんでたまらなくなるんです。

だから誰かがいっしょに住んでいてくれてるってわかった時は、ほんとにほっとしました。その人を見たいと思ったけれど、きっと章史さんが好きになった人だから、いい人にちがいないと思ったんです。逢ってみて、思った通りでほんとに安心しました」

栄子がそういった時の微笑の美しさを、幸子は忘れられない。

もしかしたら、自分が身を引こうと決意したのは、あの栄子の美しい微笑を見た時だったのかもしれないと思う。

遠慮深い栄子は、自分の居るかぎり、章史に近づかないだろう。

章史は、栄子を許すにちがいないと、幸子は確信している。

愛とは奪うものではなく、譲るものだったのかもしれない。

幸子は、暗い闇の中に目を見開いていた。

闇の空間に、かつて自分を通りすぎていった男たちの顔が、ぼんやり浮かび上がり、消え、また次々と現れてくる。

その顔につながる肉体の記憶が曖昧なのに、幸子はぎょっとなった。

どの男も、顔がちがうように性器もちがっていた筈なのに、そのちがいが一切思い出せない。

男と女のつながりとは何だったのだろうと、肌寒いものが背筋を貫いていく。

肉体の記憶に比べて、男たちが幸子に残したやさしさや、憎しみのことばや、仕打ちの記憶は実に鮮明だった。

もうすっかり思い出したこともなかった、ふとした時の男たちのことばのきれ端が、浮かんでくる。

幸子は目を閉じた。すると、瞼の裏にたまっていた涙が、どっとあふれ出てきた。

章史が夢の中で何かいい、寝がえりを打って幸子にしがみついてきた。

幸子は章史の大きな軀を抱きよせた。

章史が幸子のゆたかな胸に子供のように顔を押しあててきた。

幸子はおよそ性愛には遠いやさしさで、しっかりと章史を抱きしめつづけた。

この人と過ごした時間を恵んでくれた何ものかに対して、心の底から感謝したいと思った。

それが何なのか、幸子にはわからなかった。

翌日も晴れて美しい日和だった。

昨日の運転手が迎えに来てくれ、ふたりは平家屋敷へ行った。平家の赤旗が今も伝わっているという邸は、静かな渓間にどっしりと建っていた。森閑とした邸の中は人の気配もなく、どこかでしきりに老鶯が鳴いていた。

「気が遠くなるような静かさね」

幸子はあたりの空気を軀じゅうで吸いこむように大きく吸い、両手をのばして、更にその空気を抱きしめるような身ぶりをした。

どこかに姿を消していた運転手がもどってきて、

「今、奥さんが出かけなして誰もおらんようです。せっかく来たのに悪かったな。奥さんが居られたら親切なお人で、お茶くらい出してもらえたのに」

という。

幸子は、誰にも逢わないでも、こんな静かなところに来たことで満足だった。

章史は縁側に腰をかけ、煙草を吸っていた。

「こんなところで暮らせたらいいでしょうね」

「あんまりよすぎて眠ってばかりいそうだな、ぼくのようななまけものは」

「ほんとにいい思い出の旅が持ててよかったわ、一生忘れないわ」

「そんなに気にいったなら、また秋にでもどこかへ行こう」

幸子は返事をしなかった。

章史に背を見せてすたすた渓の方へ歩いて行く。章史は今いったことが聞こえなかったのかと
その背を見つめていた。

幸子の姿が見えなくなり、しばらくして運転手が章史を呼びに来た。

「あっ、やっぱり、居られた。奥さんはもうせんから車の中で待っておいでですよ」

章史は幸子が自分を置いてきぼりにして、さっさと坂上の道までもどり、車におさまっている
と聞いてびっくりした。

時々、突拍子もないことをいったりしたりする幸子だが、今の動きは変だと思った。

車の中に幸子がいて、にっと笑いかけてきた。目のふちが酔ったように赤くなっていて、妙に
なまめかしい。泣いたようにも見えるが、今、幸子が泣く筈もなく、たぶん、光線のせいだろう
と思った。

「何だ、急にいなくなったりして」

「ごめんなさい。あのね、急におしっこがしたくなったの、それで場所をさがしてたら、いつのまにかここまで来てたのよ」

「それで、どこでおしっこしたんだ」

「あの先の草の中よ」

「ばか」

章史は道から遠くもない草のしげみを見て笑った。上の道からまる見えではないかといった。

幸子は首をすくめただけだった。

車は予定通り、もう駅へ向かっていた。大歩危の駅から、高知へ列車で行く予定にしていた。

「もう一日ここにいてもいいような気がするな」

「でも、やっぱり、今日じゅうに高知へ入りましょうよ」

幸子はさり気なくいった。

駅のプラットホームに人影はあまりなかった。

高知行きの列車から降りる人たちが数人いた。

幸子が先に乗りこみ、席に坐った。

章史がその横に坐った。次の瞬間、

「ちょっと、失礼」

と他人行儀にいい、章史の膝をまたぐようにして幸子は通路へ出た。

片手を章史の肩に置いて、自分のバランスをとった。

章史は手洗いにでもゆくのかと、身をひいてやり幸子を見送った。

列車がごとりと動きだした。幸子はまだ帰らない。章史は週刊誌を何気なくひろげていた。

幸子がもどらないことにもう一度気づいたのは、五分もすぎてからだった。

窓外には大歩危の渓谷の新緑と、谷を埋める巨岩群と、その岩に当たって白いしぶきをあげ、渦を巻いている翡翠色の流れが過ぎていく。

おかしいと思い、章史は洗面所の方へ幸子を探しに行ってみた。

そこに二人ほど人が立っていた。

「黄色いブラウスにジーンズのスカートの女を見かけませんでしたか」

章史は恥ずかしさも忘れて、中年の女に訊いてみた。

「いいえ、さっきから誰も通りませんよ」

女は親切そうにいった。

章史は妙に胸騒ぎがして、車掌室を探し、つれが居なくなったがアナウンスしてくれないかといった。

車掌は不思議そうな顔をして、どこから乗ったのかと訊く。

「まさか落ちるってことはないでしょうね」

章史がいうと、若い車掌はびっくりしたように章史の顔を見直した。

「そんなことはないと思いますよ。自分でとび下りないかぎり。何かそんな御心配があったんですか」

「いや、全然」

「おかしいな、今アナウンスしてみますが、もしかしたら駅で乗りおくれたんじゃないですか」

今度は章史が、そんなことはないといった。

席にもどると、車掌が幸子の名を呼び、

「おつれさまが探していらっしゃいます」

と結んだ。

一向にアナウンスの反響はない。章史はわけがわからなくなった。その時、幸子の席に置いてある弁当に気づいた。大歩危の駅前の土産物屋でいつの間にか買ったものらしい。弁当の上に、章史の好きなゆで卵の入った網の袋と、お茶がのっている。

おや、と章史は思った。弁当もビニールの茶入れも一人前だった。

弁当の折りを取りあげてみた時、その下から封筒が出てきた。昨夜の旅館の備えつけの便箋と封筒だった。

ぎくっと胸を刺され、あわててその封筒を手にとった。

表に「章史さま」とある。

章史は震える指で荒々しく封筒の口をひき破った。

章史さま

改まってこういう書き方をすると、何から書いていいかわかりません。

今、あなたはとても安らかに眠っています。

さっき、私があなたのからだから離れ、そっと寝床をぬけ出す時も、何も気づかず、私の方へ腕をのばしたまま、すやすやと眠りつづけました。

どんな夢を見ているのかしら。あなたが時々、夢の中で栄子さんの名を呼ぶのを、たぶんあなたは知らないことでしょう。その時、あなたは実に切なそうな顔をしたり、何ともいえない安らかな表情になったりしています。

あなたは私に向かっては、つとめて栄子さんのことを口にしないよう気をつけていてくれます。それはあなたのやさしさなのだと思います。でもあなたの心の底に栄子さんがまだどんなに大切に抱かれているかは、そんな夢の中の声で察しられるというものです。

私はその度、あなたたちが可哀そうで、泣けてきました。愛しあっていたふたりが今のように別々に暮らしていることがとても不自然に思われたのです。栄子さんがどんな理由にしろ、あなたを裏切って捨てて逃げたなど思えなかったのです。私がこうして転がりこんで、幸せいっぱいに日を過ごさせてもらっていることが、何だかとても相すまないと思いました。

いつか、きっと、栄子さんが帰ってくるにちがいない、そう私は信じていました。その時まで、私はあなたのお守りをしていればいいんだと、自分にいいきかせていました。なぜって、私は小さい時から不幸せに育ったので、幸福な状態というのは、何だか、足の裏や腰のあたりがこそばゆい感じで落ちつかない感じなのです。今にきっと大きなゆりかえしがくるぞと思っていました。

　でもあんまりあなたを好きになってしまい、あなたとの暮らしに馴れきってしまい、幸福の蜜につかりすぎて、次第に私は、このままずっと月日が過ぎてゆき、あなたといっしょに年をとって、可愛らしいおじいさんとおばあさんになって物を焼きつづけていけたら、どんなにいいだろうなあと思うようになりました。そう思いはじめた頃、栄子さんがこのまま永久にもどらないことを、心のどこかで祈っていたようです。ようですといったのは、自分でそのことをあまり意識していなかったからです。

　でも神さまだか仏さまだか何だかわからないけれど、人間の暮らしをどこかで見ていらっしゃる何かは、そんな私の心の底の汚らしさを見抜いていらっしゃったのではないでしょうか。私が栄子さんの帰りを願わなくなった頃、突然、栄子さんの存在を私に知らせてくれたのです。

　章史さん、栄子さんは今、ひとりでいます。

　それもあなたの仕事場のすぐ近くの町までもどっています。

　この旅のあと、出来るだけ早く訪ねてあげて下さい。電話はないのです。夕方六時頃、いきなり行けば必ずいます。

　どうか栄子さんを許してあげて下さい。そして、仲よく暮らして下さい。世間の口など気にしないで下さい。住所は左記の通りです。

　こんな形でしかあなたと別れられない私を責めないで下さい。だって話し合いなんて出来る問題ではないでしょ。やさしいあなたはふたりの女の間にたって、きっと自分が消えてしまいたくなるにちがいないもの。

私は大丈夫よ。この幸せは夢じゃないかなって、いつも頬っぺたをつねってきました。やっぱり夢だったんだなって思えばいいんだもの。夢でもいい、こんな愉しい夢を見せてくれた何かに感謝します。

栄子さんはいい人です。痛々しいほど正直な人です。あ、栄子さんの好さは、私なんかよりあなたの方がずっと知ってる筈ね。

では、さようなら、ほんとに有難うございました。やさしさ忘れません。私のことも時々思い出して下さい。

幸子

章史は二度、三度と繰り返し幸子の手紙を読みかえした。最初は愕きと意外さでよく意味がとれなかった。

幸子が栄子と逢ったこと、そして幸子が身をひいて、栄子に座をかえしたこと。それが自分抜きで行われたということ。ようやく事態が納得出来たが、幸子のひとりよがりの決着のつけ方に腹が立ってきた。

玩具の兵隊じゃあるまいし、勝手にひょいひょい置きかえられてたまるかと思う。栄子が近くに戻っているということは初耳だったが、それを聞いて幸子がいうように、すぐ嬉しがる気持にはなれない。無事で生きていたのかという感慨はこみあげてくるが、それが恋しいとか、いとしいという感情にはすぐつながらない。テレビのメロドラマじゃあるまいし。

そばに幸子がいたらなぐりつけたかもしれないと思う。おっちょこちょいで早合点でそそっかしいと、幸子の俤にあびせつづけながら、章史は不覚にもこみあげる涙を抑えかねていた。

幸子がいとしかった。栄子へのなつかしさの前に、こんな消え方をする幸子がいじらしく、次の停車駅からすぐ大歩危へ引きかえそうかと落ち着かない。しかし引きかえしたところで、幸子はもうすでにあの駅を反対の方向に出発しているにちがいない。

こうと決めたら断乎として自分の決意を貫くにちがいない幸子の性質を、章史はすでによく呑みこんでいた。

幸子に指摘されてみて、自分の心の底を覗きこんでみても、幸子がいうほど栄子へのみれんが沈んでいるとも思えない。覗きこめば覗きこむほど、自分の心の底は深く暗く何の影も見えて来ないのだった。

——ばかなやつ——

章史は声に出したい想いを歯に噛みしめてくりかえしていた。

幸子のいない家へひとり帰っていく気分にはなれそうもない。

まだ行ったことのない高知という町で、どこへ向かって歩けばいいのか。今度の旅のプランはすべて幸子のたてたものだった。

何もかも捨てて、このままひとりの漂泊の旅をつづけられたらという甘い誘惑がじっとりと心に湧いてくる。

ゴルフに行って夕立にあい、濡れたのが原因で、啓一郎は珍しく風邪をひきこみ会社を休んでしまった。

並木家の家族の誰もが診てもらっている医者の白井は、啓一郎の胸に聴診器を当てながら、

「気管支炎になっていますね。肺炎をおこさなくて幸いでしたよ」

という。そんな大事と思っていなかったので、啓一郎は愕いた声を出した。

「ちょっとした風邪だと、たかをくっていたんですがね」

「ちょっとした風邪がこわいんです。もう風邪を馬鹿に出来ない年ですからねお互いに」

と白井はいう。啓一郎より十歳は若い筈の白井がお互いになどいうのがお世辞の一種と聞こえて啓一郎は苦笑した。

「肺炎で命を落とすことだってあるんですから」

「年寄りは……ですかな」

白井は啓一郎がからむのをさり気なく無視して、

「ドックにお入りになったのは、たしか一年半前ですね」

という。

「そうだったかな……南米へゆく前だったから、ええと、一年八ヵ月もすぎていますね」

「やっぱり一年か半年くらいには、チェックしていただかないと困りますね」

「この頃、急に忙しくなりましてね。それに家内の病気にふり廻されて、自分どころじゃなかったから」

「奥さんはもう大丈夫ですよ。転地がきいたでしょう」

「そうですね。先生のおっしゃるように伊豆の別荘へ行ってから、すっかり元気になったようです。ただし、まだ油断出来ませんな」

啓一郎は伊豆から昨夜電話をかけてきた真穂の明るい声を思い出した。

「帰りたいっていって来ましたがね」

「そうでしょう、もう帰られても大丈夫ですよ」

「ところがこっちとしては、あんまり帰ってほしくない心境でしてね。別居しているこの状態が、むしろ快適なんです」

「しかし、帰りたいっていう気持にさからわない方がいいですよ。たぶん、びっくりされるほどよくなってる筈です。一種の更年期鬱ですからね。早ければ、もう治る筈なんです」

啓一郎はつい重いため息をついてしまった。

「よっぽどこりた御様子ですな」

白井は消毒綿で指を拭きながらいった。

「女の更年期症状というやつは、個人差があるんでしょうな」

「もちろん、あります。奥さんのはまだ軽い方です。重い人は十年くらい不調を訴えることがあります」

「女が生理が上がるのと、男が不能になるのと、どっちが深刻でしょうね」

「それも個人差がありますからね。一概にいえませんが、この頃の女性は医学的知識もよく心得ていて、本当の性の快楽は妊娠の心配がなくなってからだなどといっていますよ」

「ふうん、すると男の方がデリケートでショックが大きいというわけですかな」

「大体、男の方がデリケートですよ。まあ、女が子供を産むという宿命を与えられた以上、そうそうデリケートではあんな大役は果たせないでしょう」

「それはそうだ。男女同権といっても、男が妊娠しない限り、女の方にいい分は絶えないでしょうな」

白井は、いつでも看護婦を一人つれてくる。小柄だが躯が引きしまり、顔は丸顔で片えくぼの刻まれる可愛らしい男好きのする女だった。白井が手をつけた看護婦だということは、誰もが知っている。そんな話をしている間も、空気のようにひっそりしていて、気にならない。目を伏せて笑いをこらえている様子が色っぽい。啓一郎はいつでも白井がそうするように彼女を空気のように無視するのだが、今日ははじめて声をかけてみた。

「きみなんかも、いい分をかくしてそうやってにこにこしているわけ?」

「人工受精が一般化しても、女が結局おなかに赤ちゃんを入れておくわけでしょう。そうしたら、男はますます権威がなくなるんじゃないでしょうか。だから男の方がデリケートだっていう面は、未来の権威の失墜を予感しての悲劇性から生まれるんじゃないでしょうか」

「ほ、ほう、これだからね、虫も殺さぬ可愛らしい顔をして、こんな恐ろしいことを考えているわけだ」

白井は口をはさまず、にやにやしている。

「未来の予測は、男女同権を飛びこえて、女権がますます強くなり、男がみじめになるということか」

啓一郎は看護婦の声から、およそタイプはちがうのにゆかりを想い出していた。

こんなチャーミングな女でも、ゆかりのようにエレガントな女でも、やがては更年期を迎え、男を悩ますようになるのかと思うとうんざりした。

帰りぎわに白井はさり気なく、啓一郎のドック入りの日時を決めてしまった。そういう点が、一見ぼうっとしているように見えて、有能なきれ者なのだ。

白井たちが帰っていった後、啓一郎は目が冴えて眠れそうもないのでブランデーをのみはじめた。

白井は真穂の帰宅前のドック入りをすすめていった。啓一郎は深夜ひとりで酒を呑んでいると、酔いが妙に陰にこもり、気分がますます落ちこんでいく。

白井はさり気なくいったものの、妙にドック入りを強引にとりきめたような気がする。もしかしたら、どこかに故障を来たしているのではないか。自覚症状がないところを見るとガンかもしれない。いや、そういえば最近妙にだるいし、根気がつづかないともいえる。

糖尿が出たのかもしれない。白井はしきりに心臓に聴診器をあてていた。心臓に故障が来ているのだろうか。しても仕方のない取り越し苦労をくよくよするのは、老人性鬱かもしれぬと思い、啓一郎は思わず苦笑いした。

何れにしろ、自分がドックに入るまでは真穂を帰宅させないぞと、ひとりで力んでいる。

冴美が伊豆からひょっこり帰ってきたのは、白井が往診に来て三日後だった。

啓一郎はまだ熱がひかず、家で寝たり起きたりしていた。

「あら、元気そうじゃない」

顔を見るなり冴美がいった。

「白井先生がお父さんが淋しがってるから、ちょっと帰ってあげなさいなんていうもんだから、びっくりしたわ、大げさねぇあの方」

冴美は大きな紙袋から果物や啓一郎の好きなフォーションのフォアグラや、コーヒーの豆などを取りだしながら、

「熱がひかへんのですって？」

とさり気なく訊く。

「白井さんはガンの検診でもするっていったのかい？」

啓一郎は冴美の目を見ながら訊いた。

「なんでえ？　そんな心配があるの？」

冴美がびっくりしたような声をだした。愕き方が少し大仰すぎるようだと啓一郎は思った。昨日あたりから、どうもガンになっているような気持がする。確たる理由はないが、ドック入りをすすめたのは白井に魂胆があるように思えてならない。わざわざ伊豆へ電話したことも怪しい。

「伊豆に電話をするほど大病じゃないと思うがな」

「何いうてるの、お父さん少し変ね。今度はお父さんの番なの？　いやよもう、やっとお母さんがようなったのに」

「ほんとにお母さんは治ったのかい？」

「昨日の白井先生の電話は、お母さんの帰る日を相談するためよ、すっかり肥って若がえったわ。もうちっとも変なとこないわ」

冴美はベッドに起き上がった啓一郎を計るように見ながら、

「果物なんにする？」

といった。

「パパイヤにしようか」

「じゃ、切ってくる」

冴美は軽快な動作で出ていった。啓一郎は久しぶりに逢ったせいか、冴美が何だか一皮むけたように新鮮で瑞々しくなったような気がした。夏服になったせいかと思うが、若い娘らしい美しさが輝いてきたと思った。妙に落ち着きはらって、老成したようなところがあり、女の色気に乏しいと思っていただけに、啓一郎は冴美が美しく魅力的に見えたことが妙に心を浮きたたせた。

芯をくりぬいたパパイヤとレモンを持ってあらわれた冴美は、ちょっとの間に髪を上げて、さっぱりした顔に、ルージュをひき直していた。

「きれいになったね、お前」

「え？　あたし？」

冴美は目をまるくしたが、すぐけたけたと笑いだした。

「理由があるのよ、それには」

とおどけた調子でいう。啓一郎はパパイヤにレモンをしたたらせながら、

「男でも出来たのか」

と思いもしないことをいった。

「そうなん、その報告もあって帰ったの。あたし、結婚するわ」

啓一郎はきょとんとして、口に近づけたパパイヤを皿にもどした。

「相手は」

「伊豆で逢ったの。お母さんといっしょに別荘にばかりいるの退屈やし、ようひとりで散歩に出ていたら、逢ったの」

「何をする人間だ」

冴美は首をすくめた。

「お父さんが反対しても、結婚するから」

「何も反対するともいっていない。反対されるような相手か」

「たぶんね」

「だから何者だと訊いている」

「小さな喫茶店を妹さんとふたりでやってるのよ」

啓一郎は黙ってしまった。新劇俳優とか絵かきとかいう言葉が出るのではないかと思っていたのは、自分の世代の感傷だったのだと思われる。喫茶店をやっているというのは経営者という意味か、まさか雇われているマスターというわけでもなかろう。

「面白くないでしょう」

　冴美がいった。

「面白くないね」

「だから結婚式とか披露宴なんかしないから、ほっといてくれればいいのよ」

「………」

「もうあたしも年だから、お父さんに結婚式とか何とかで迷惑はかけないつもり」

「ますます面白くないね」

　啓一郎は高ぶってくる怒りをつとめて抑えこんでいる。ふいに胸が息苦しくなってきた。

「どうしたの、気分が悪いんですか」

　冴美が目敏く見つけていった。

　啓一郎が急に激しく咳こんだ。あわてて冴美が背中をさすった。

「ああ、ありがとう、もう大丈夫だ」

「ショックあたえたからかしら」

「それもあるね」

　啓一郎は冴美のいれてくれた茶をすすりながら、冴美をわずかの間にこんなに瑞々しく変えてしまった男に嫉妬を感じた。もっとこの娘と話しておきたかったと悔いが残る。地味だがしっかりしたいい娘だと思っていたが、特別に猫可愛がりもしなければ干渉もしないできた。真穂に対してもそうだが、自分の家族に対して愛情をあらわに示すことなど、啓一郎の好みではなかった。話さないでもわかってるのが血のつながりというもので、他人だからこそ、言葉も尽くして理解を需める必要があるのだ、啓一郎の関わってきた女たちは大むね口数が少なく、啓一郎が黙っていたら、空気のようにいつまでも黙って自分を包んでくれる女性だったことを思いだした。

この娘は去っていくだろう。考えてみればもうとっくに親離れしていたのだ。冴美がしたいということを啓一郎は止めたことはなかった。縁談のないことを真穂が気に病んでも、

「子供じゃないよ。今に自分で見つけてくるさ」

とうそぶいていた。そんな啓一郎を真穂は情が薄いといって、いつも恨んでいた。

三日後、白井から連絡があり啓一郎はドックに入った。冴美がどうしてもといって病院へついてきた。

白井が手順よくしてくれるので、採血からはじまり、検尿、レントゲンと、次々進んでいくが、一日では終わらないという。

「どうせ、忙しがってばかりいて、またといったら来ないんだから、二日は入院して下さい」

と白井にいわれた。冴美は心得ていたらしく、病院の売店でさっさと必要なものを買い整え、病室には花まで飾ってあった。

「よかったじゃない、ゆっくり出来て」

啓一郎はパジャマ姿になって病室のベッドに横になると、急に疲れが出たような気がして、このまま当分ここで休んでいたいような気がしてきた。

冴美は、家へ必要品を取りに帰った。その間に啓一郎は、睡眠薬をのまされたのか、前後不覚に眠りこんでしまった。

夢の中で、啓一郎はゆかりに逢っていた。いつそうなったのか、啓一郎は少年になり、少女のゆかりとブランコに乗っていた。どこかの辻公園らしい。ゆかりは長い髪を二つに編んでたらしていた。ふたりは一つのブランコに向かいあって乗っていた。呼吸をひとつにしないと、ブランコからふり墜とされそうだった。

ブランコが大きく揺れる度、ゆかりのお下げが躍って、啓一郎の頬を打った。

それは快い鞭だった。ゆかりの甘い体臭と、自分のつけているアラミスのオーデコロンの匂いがまざりあって、風が濃く匂っていた。

啓一郎はゆかりの瞳の中に映る公園の樹や、空や雲をうっとりと眺めこんでいた。空の中に自分の顔も映っている。

ゆかりが膝でブランコを大きく漕いだ拍子に、啓一郎は脚を打たれて、思わずブランコを持つ手がゆるんだ。ふり墜とされてゆっくりと墜ちていく感覚の中で、ずしんと地に頭を打ちつけた。

目がさめると冴美が心配そうに覗きこんでいた。

「いやな夢を見ていたのね」

啓一郎は返事につまって、

「う、う」

といった。

「あんまり苦しそうにうなされたり、虚空を摑むふうなので心配して、思わず起こしてしまったのよ」

啓一郎は益々夢の内容をいえなくなってしまった。

「子供に返っていてね、ブランコからふり墜とされたんだ」

「ふうん、何か熊かライオンと格闘してるようだったわよ。そんなおだやかな話じゃないみたい」

「ブランコから墜ちることがおだやかかね」

啓一郎はようやく笑った。笑うと胸のどこかがきしきしと痛む。

「どうせブランコは低いのよ、ね、そうだったんでしょう」

啓一郎は返事はせず、笑うつもりがそれどころじゃない痛みに胸を押さえこんだ。

白井は啓一郎をそのまま病院にとどめてしまった。仕事の都合もつけなければならないし、入院が長びくようなら、会社の部下との話し合いも必要だった。しかし白井はいつになく頑固に、

「今度だけは私のいう通りにして下さい。緊急に手術の必要があるかもわかりませんから」

という。やはりガンかと思ったが、右肺が相当侵されているのだという。

「結核ですか？　結核なら学生時代やったことがあるからわかりますよ、こんなふうじゃなかったな」

「病気のあらわれ方だって時代と共に変わりますよ。第一御本人の年齢だってちがうんですから

ね」

もう病気したことを忘れきるほど、それは遠い記憶になっていた。今頃昔の病巣が痛みだすなど予想したこともなかった。

結核といってだまして肺ガンの手術をするわけか。はっきり宣告されても自分は動じないつもりでいた。しかし今、平然としているのは、白井がそれを否定しているからかもしれない。

大阪で「生と死の会」を運営している大学時代のサッカーの友人の村田が、半年ほど前、ひょっこり会社へ立ちよって、一晩一緒に酒をのんだことがある。新聞社に勤めていたが、社会部記者として鳴らしていたのに、定年前にさっさと退社してしまい、そんな会を作っている。

白髪がまじった以外は相変わらずの童顔で、啓一郎よりずっと若く見える。

「お袋が最後にボケてしまってね。親爺が寝たっきりで、七年も世話をした揚句だよ。親爺を見送ってやれやれと思ったとたん、背骨を抜かれたように腑ぬけてしまったんだ。女房が苦労するのを見かねてね。女房は中学の教師を定年までやめたくないというし、勤めとお袋の世話で神経すりへらして、女房の方が先にノイローゼでどうかなるかと思ったよ。誰だってボケたくてボケるわけじゃないけど、家族は大変だよ」

啓一郎は、柔和なまるい目を曇らせて熱心に話す旧友の顔を見守っていた。

「昔からおれは妻ノロってひやかされていたけど、やっぱりそういう負担は家庭の中で主婦ひとりに押しつけるのはまちがっているといい暮らしてきたからね。その自分の言葉に責任を取ったつもりで社をやめたんだ」

「どこでそんな意見発表してたんだい」

「ああ、知らなかったんだね。警察廻りばかりやってたと思ってたんだね。ま、大体そう思われてるさ、実は社にいた頃から、女房の苦労をみかねて、この会に入っていたんだ。女房に看病の息抜きをさせてやるつもりで……ところが次第にのめりこんで会長が死ぬ前、おれに何もかも頼んでいってね、すべて成り行きですよ、成り行き……」

そんな話の後で、「生と死の会」では、ガン患者に真実を告げる方向に向かっているという話を、村田がしたのだった。

「この間例会があってね、二百人くらい集まるんだが、その中で家族がガンになった時知らせた人というのは、わずか四人しかいなかったよ」

「ふうん、女が多いの、その会は」

「男もずい分入っているが、例会なんかに来るのはやっぱり女だね。男に比べて今じゃあらゆる点で女の方が積極的だし、実質的な力も持っている」

「それで、その会に入るような人は、やっぱり、死について深く考えてるわけか」

「自分の死というより、家族の死ぬまでの過程で悩んだ人が多いね。人間誰しも、自分だけは何だか生き残るような気でいるんじゃないかな。それに現在、寝たきり老人やボケた肉親をかかえている家族が多く入るね。やっぱり息ぬきがほしいし、自分だけがこういう苦労をしているんじゃないと思いたいからね」

「そういうものかね。それは女の発想だね」

「日本じゃ、そういう時の負担はほとんど女にかかってくるからね」

「ボケて長生きするよりガンで死にたいな」

啓一郎はいった。

「健康な者の不遜だよ、それは。ボケは何も教養とか頭のよさに関係なしにやってくるからね。むしろ専制的で、日頃他人の意見などに耳を傾けない頑固で自信家の人間がそうなる」

「どうやらそいつに合格させられるんじゃないかな」

啓一郎はまた村田が何とか文句をいって怒るのを見込んでいった。村田は返事をせず、何かの物音を聞くように耳をすませるような表情をしていた。

「でもまあ、きみの軀がピカピカの小学生並みでおめでたいよ。もっともこれからは御利益が出るよう祈っておくよ」

妙に突っぱなされたような感じがして、啓一郎は村田にこだわりつづけていた。

「どうしてアメリカではガン患者にほんとうのこと教えるのだろうか」

村田の意を迎えるように啓一郎はいってみた。村田はすぐその質問に乗ってきた。

「アメリカ人の方が合理的なんだろう。日本人は根がセンチで感受性が強いからね」

「さっきいった四人の妻たちの夫は知らされてどうなったの」

「やっぱり訊きたいか。四人が口を揃えていうんだな、自分の夫は日ごろから合理的でごまかしが大嫌いだった。死ぬ時まで嘘をつかれたくないから、ガンならガンと必ず教えてくれと、固くいわれていたというんだな。それで四人の中の一人は、いよいよ危ないといわれた翌日の未明に、だまって色紙と硯を枕元に持ちこんだそうだ。ガンの時は辞世を書いておくよう色紙を渡せという約束だったらしい。暗号だな。それで亭主の方は、はっと顔色をかえたが、『やっぱりそうか』と悟ると、その日から身辺を片づけはじめて、形見分けなども実に綿密なノートをつくっておいたそうだよ。それから一日一日を、ほんとに有難がってしみじみ話し、愛しあい、死ぬまで立派だったそうだ」

村田との会話がなぜ今頃こんなにありあり思い出されるのか。啓一郎はベッドの上で考えつづけた。やっぱり自分の病気をガンだと思っているからだった。もう身近な友人や親戚の者を何人もガンで見送っている。家族がひたかくしているので、知っていてもそしらぬ顔をして見舞わねばならなかった。親しい者ほど嘘をつき通して見舞うのが辛かった。

中には日頃理性的で、ごまかしや曖昧を自分にも人にも許さない男が、手術して、コバルトまであてながら、まだガンとは思っていないのだ。疑ってもよさそうだと思うが、妻にさえ自分の疑問を打ちあけようとはしない。

「運が強いんだね僕は。ほっとけばガンになるのを潰瘍のうちに発見したからね」

嬉しそうに告げる病人さえいた。からかわれているのかとこっちが気味悪くなるほどだった。内心疑いつつ、強いて医者のガンではないという言葉に取りすがろうとしているのだろうと思ってみるが、本人はどう見ても気づかない様子でいる。コバルトをかけているのは、予防のためだというのだ。

啓一郎は、そのうち、病人は一切見舞わないことにした。花や見舞金や代理人はやるが、自分は出むかない。嘘をつきながら、そらぞらしい言葉で見舞うのが耐えられないと思いだしたのだ。

自分の時は、もうだまされはしないぞ。たいていの症状は知ってしまったし、医者や家族のだます言葉や手口もみんな覚えてしまったから、決してやすやすとはだまされはしないぞと思うのだった。

啓一郎は白井のいった言葉のすべて、冴美の言葉や表情のすべてを克明に思いかえし反芻してみた。そのどこにも暗い翳は見出されなかった。

そこが怪しいんだ。奴等は万全の用意をしてだましにかかっているんだから。啓一郎は自分がもし手術しても助からない症状なら、決して手術は受けないでおこうと考えた。自分の家で、死ぬまでわがままに暮らしたいと思う。しかしいよいよそうだと決まれば、これはやっぱり大変だと思う。

身辺の整理というのは、いつでも出来ると思ってついのばしのばしにして、いざとなったら何ひとつ片づいていないとうろたえる。

啓一郎は神仏は信じているとか、いないとかいえないほど無関心にすぎてきた。唯物論の方が目に見えない神や仏に頼るよりも納得がいった。かといって家の仏壇をこわすほど自分の考えに忠実でもなかった。

外国に行けば、よくチャペルに入って、ただひっそりと坐って時を過ごすことがあった。それは祈りに入ったのではなく、チャペルの静かな雰囲気が好きで、誰も話しかけてきたりしないからそこにいるだけだ。ふいに頭上でパイプオルガンが鳴りだしたりしたこともあった。音楽はバッハを聴くと心が落ちついたからよく聞いたが、そこから格別宗教的な感銘を受けたわけではない。

インドにいく度、日本の神や仏は可愛そうだと思った。インドではまだ神々をいますが如く人人が恋い慕っていた。身を投げだして路上で祈っている者もいた。ああいうふうに信じられたら幸福だろうなと思うのだった。

夕月

ピーターパンでは珍しく全員が揃っていた。機関誌ピーターパンの校了日で昨日から、全員泊まりこみで半分徹夜だった。

やっとあと一時間くらいで、全部の仕事が終わるとめどがついた時、いつのまにか道子がコーヒーをいれてきた。

「はい、どうぞ、お茶にしましょう」

みんなが顔をあげた。徹夜疲れの顔を見合わせ、一休みするかと、それぞれの机を離れた。

窓ぎわの丸テーブルに集まると、道子がパイを切りわけて出す。

「美味しいわね、どこのパイ？」

まりが一口食べてすぐいった。

「道子軒です」

「えっ、これ道子さんのお手製？」

「はい、明日はシュークリームをつくってきます」

「凄いわね、いつのまにこんな腕みがいてたの」

道子はにやにや笑って首をすくめただけだった。

「あたしのノルマはもう終わってしもうたから、気分が楽やし、ちょっといわせてもろていいですか」

「え、なあに改まって」

ゆかりがコーヒーを一口のんだ顔をあげた。

「あのう、唐突ですみませんけど、今月いっぱいでやめさせてもろていいですか」

「今月いっぱいで」

まりが目をまるくした。

「もちろんかわりの人みつかるまでお手伝いに来ます。でも出来ればのことですけど……」

「何かあったの」

まりが道子の目を見ていった。

「結婚することになりまして」

「ほう」

というため息に似た声がいっせいにみんなの口から洩れた。

「知らなかったわね、それは、でもおめでとう」

まりがいった。

「どんな人?」

麻子が身をのりだすようにして訊いた。

「大した人やあらへん、並の男」

「何する人?」

「ケーキ屋なんです」

「えっ、じゃこのケーキもその人がつくったの」

「ちがいます。これはわたしが教えてもろてつくったんです。ほんまです」

あんまりむきになるのでみんなが笑った。

「ちょっと世話してくれる人があって、面白半分に見合いしたんです。そしたら、えろう気が合って、つきあってるうちに、結婚しようということになってしもて」

「それはよかったわね」

「学校がきらいで高校の一年の時、家飛びだしてお菓子屋に弟子入りしたんです。長いこと勤めて、ようやく独立して、小っちゃな小っちゃなお店出したんです。手づくりの小っちゃな店やから、人雇うより嫁もらえと思うたそうです」

みんながくすくす笑った。

「その口調聞いてると道子さんもうすっかりまいってるみたいね、彼に」

まりがからかうようにいう。

「そうでしょうか」

道子が他人事のようにいったので、みんながいっせいにふきだした。

「自分でわからないの？　その人にまいってるかどうかって」

麻子がいう。

「いい人やと思うけど、それほど夢中になってるつもりないし」

道子が持ち前のおっとりした口調でいう。

「でもとにかくおめでたい話ね。それで、いつ結婚式？」

「はあ、それが、とにかく向こうがせかはるし……」

みんながまた笑った。

「秋になったらすぐというつもりですけど、支度もあるし、ちょっと習い事もせんならんし」

「今月いっぱいというと、ずいぶん早いわね」

「ほんまに悪いし、勝手や思います」

道子のピーターパンでの役割の重さが、急にみんなに思いしらされた。

「万物流転ね」

まりが少し明るい声を出していった。

「今まで、みんながここに集まって移動がなかったことがむしろ不思議よね。ま、仕方ないわ、道子さんの幸福のためだもの、祝福して送りだしましょう」

まりがいい終わると、誰からともなく拍手がおこった。その音の鳴りやまない時、麻子がもじもじしてきりだした。

「すみません、道子さんに先を越されて、いい難くなりましたけど、実は、わたしも外へ出ることになりまして……」

「ええっ、麻子さんも結婚するの」

「そうじゃないんです。わたしの場合は仕事だけです。今、英会話ならってるうちの先生御夫妻が、三年間アメリカへゆくことになったんです。シカゴです。何か御主人が研究のため留学なさるんです。それで、私の先生はついこの間双子の赤ちゃんが生まれたばかりで大変だから、いっしょに来てくれないかっていわれるんです」

「だって、麻子さんが赤ちゃんの面倒みるの」

ゆかりが呆れたようにいう。

「赤ちゃんの面倒は先生が見られると思います。でも、ひとりで大変だし、先生は今、物書きとしても売り出しかかったばかりなので、何かと秘書役がほしいわけです。わたし、とにかく、気が動いてしまって」

「ここより、そっちの方が面白そうに見えるのね」

まりの固い言葉に麻子がだまって下唇を噛んだ。

「これも仕方ないわね。道子さんを快く送りだして、麻子さんひとり引きとめるわけにもいかないし」

道子と麻子がしょげたようにうなだれて神妙に聞いている。

ゆかりは、立って窓を押し開けた。涼しい青嵐がさっと吹きこみ、固くなったその場の空気を和らげた。

二人の穴埋めのため、また募集広告を出さなければならない。古株で年だけとっていくのが、まりと自分のような気がしてくる。

校了の終わった後で、みんな引きあげ、まりとゆかりだけが事務所に残った。

ゆかりが疲れた顔もみせずグラスとコニャックをテーブルに出し、こことしていたと思ったら、サラミソーセージや、チーズでおつまみをつくり、グラスの横に置いた。青いカットグラスのコップの中に、チーズとセロリの軸を拍子木に切ってマヨネーズであえたものが涼しそうに沈んでいた。

まりの好きな即席おつまみだった。

髪をしばっていたリボンを外し、カーリーヘアをハート型の顔のまわりにひろげながら、まりが薬指でこめかみを押している。

「疲れたわね、肩もみましょうか」

「大丈夫よ、ありがとう」

まりが目のまわりに隈をつくってテーブルについた。

夜風が窓から吹きこんできて、午前一時をすぎた今は、冷え冷えするほど涼しい。

「道子さんは安心だけど、麻子さんのアメリカ行きはどうかしらね」

まりがゆかりにコニャックをついでもらいながらつぶやいた。

「何だか唐突だったでしょ。もしかしたら、あの子のアメリカ行きは、今日、あの場で決心したものじゃないかしら」

「道子さんの結婚に妬いて？」

「そう、妬くとまで自覚しなくても、道子さんの出ていった後、ひとり残るのがいやなんじゃないの」

「まだ若いからねえ」

ゆかりは麻子の、いつでもきりきり弓をしぼったような緊張感を持続させるのは、さぞ骨も折れるし疲れるだろうと思った。

「でも、とにかく出ていくことよね、若いんだもの、何でもやってみた方がいいのよ」

まりはふたりへの未練を無理に断ち切ろうとしているようにきっぱりいった。

「今年はやたらにみんな動きだす年なのね」

「他に誰が？」

「うちの夏樹よ」

ゆかりはどきっとして息をつめた。夏樹とまりのような仲のいい夫婦の間でも何かおこったのか。

「夏樹さんがどうかしたの」

「ひとりで旅に出たいっていいだしたのよ」

「旅って？」

「ブータンへ行って暮らしたいというのよ」

「ひとりで」

ゆかりの言外にふくめた意味を感じとってまりが小さく笑った。

「女が出来たのなら、かえって納得がいくのよ。そうじゃないらしいの、こういうぬるま湯みたいな生活の中から、いい絵が生まれないっていうの」

「勝手なものだわ」

「そうよ、勝手よ。あたしが働いてるから、好き勝手出来てるわけでしょ。離婚する気はないし、子供も好きだし、きっと里心がついて帰ってくるだろうって、でもそれは、二年後か、三年後かわからないっていうの」

「それでまりさんは行かせるんですか夏樹さんを」

「犬じゃないしね、鎖でつないでおくわけにもいかないでしょ」

「行きっきりってことも考えられないかしら」

「たぶん、彼のことだからありそうね」

「それでもいいの?」

「いい筈ないでしょ。でも彼は男ですからね、原始的な血の濃い男なのよ。昔々の狩猟をして走りまわっていた頃の野性が帰ってくるってこともあるでしょう。仕方がないわ、したいことをさせるのが、夫婦かもしれないわね」

「そんな心細いこといわないで下さい」

「彼は私が働くし、寛大だから安心しきっているのよね。少々の浮気は見逃してくれると思ってるし、手に負えないわ」

「でもそんなふうに甘やかしたのはまりさんの責任でしょ」

「そうなの、自業自得ね。時々、かっとして、こっちだってまだもてるんだぞって見せてやりたくて、浮気くらいしてやろうかと思っても、忙しくてね」

まりとゆかりは同時に笑いだした。

「忙しくて恋も出来ないようじゃもうだめね」

ゆかりがいった。

普段はゆかりよりまりが酒は強いが、今夜は疲れているせいか、珍しく赤くなっている。

「女が仕事を持つのは当たり前になってるけれど、家庭と両立させるのは、まだ女に負担がかかるわね。夏樹なんかあれで、ずいぶん子供の面倒見てくれるし、料理だって気がむけばよくやってくれるし、皿洗いも好きなのかと思うくらい手伝ってくれるでしょ。でもそれはみんな、気分がむいて、自分がそれを愉しんでいる時だものね。女はそうはいかないわね。お手伝いをやとったところで、台所や家事をすっぱり自分の中から追放してしまうことは出来ない」

「それは、まりさんが、本質的にドメスティックだからよ。わたしなんか、しないでいいなら、したくないわ。結婚しようと思っていた時は、彼がみんなやってやるよって冗談にいってくれてたのよ。一応、料理学校へも三ヵ月くらい通ったけれど、馬鹿々々しくてやめちゃった。本を見たら、出来ることばかりなんだもの。洗濯はクリーニング屋に出せばいいし、お掃除が負担になるほど広い家に住めっこないし、何しろ、相手もあたしも若かったから、合宿みたいにやっていくつもりでいたの。母なんかが心配してたけど、彼の方はちっとも心配してなかったのよ」

ゆかりは自分も酔ってきたのかなと思った。

博のことを喋りたくなっていた。博のことを喋ると、その下から、宮原のことを喋りたくなる。

ゆかりは宮原は自分のことを、まさかドメスティックな女とは思っていないだろうと考えた。

「まだ彼のことが忘れられないのね」

まりが同情した口調でため息まじりにいう。

「そうね、ますます自分の中で濃くなるの。でも、それがおかしいのね、自分の中にもうひとりの彼がいるというのではなくて、以前はそうだったのよ。今は、自分と一体になってしまった感じなの」

「不思議な人ね。たいていの場合歳月が風化させたり、忘れさせてくれるものだけれど、あなたは、いつまでも記憶が鮮明なのね」

「執念深いんじゃないかな」

「でも、なくなった人にまさか操をたててるつもりで、ひとりでいるわけじゃないでしょうね」

「そこまで古風でも貞節でもないわ……ただ結婚にだんだん興味も魅力も感じなくなっただけ。まりさんの前で悪いけど、まりさんたちみたいな理想的な夫婦でも、やっぱり相手を鎖でつなぐことは出来ないでしょ。人間誰だって自由でいたいわけだし……自分の心もいつどう変わるかわからないし……」

「誰かにプロポーズされてるのね」

　空になったグラスにブランデーをついでやりながらまりがいう。

「ええ、でも……」

「その人を好きなんでしょ」

「どうして」

「この間から感じてたのよ。あなたこの頃、とてもきれいになったもの、きれいなのは前からだけれど、急に色っぽくなったから……」

「いやあだ」

　ゆかりは両掌で顔を挟んで耳まで赫くした。

「いい人が出来たんだなって感じてたの。ほんというと、道子さんや麻子さんのことより、いつあなたにやめますっていいだされるか、びくびくしてたのよ。でも、もしあなたが結婚するなら、やっぱりとめられないし、出来れば京都の人でありますようにって祈ってたの」

「東京の人なんです」

「やっぱり……」

　まりはうなずいて、グラスをさしだし、ゆかりのグラスに軽くあてた。

「乾杯？　もう相手の名はいわなくてもいいわ。夏樹のカンが当たりだわね」

「夏樹さんが？」

「ええ、夏樹が大分前から、そうじゃないかっていってたの、あの人、自分が女好きだから、そういうカンって割合当たるのよ。宮原さんとあなたがそうなってたとしても不思議じゃないって」

「どうしてわかったのかしら」

「東京で宮原さんに逢った時、さり気なく、会話の中にあなたの名が出るんだって……それも、一度や二度じゃなく、大体好きな人の名前って、いいたいものよ。あたしだって覚えがあるわ」

「だって……それくらいで」

「夏樹は敏感なのよ。それに夏樹はゆかりさんを好きだったから」

「えっ」

「なあんだ知らなかったの。夏樹はわたしのようなまるっこいタイプより、あなたのようなノーブルなスリムな人が好きなのよ。彼のパリの先妻に、首から肩の線がとても似てるっていつもいってたのよ。あたしはだから、絶対夏樹とあなたをふたりきりで部屋に置いたりしなかったでしょ」

「いやだわ、冗談にしても悪い冗談よ」

「本当の話よ。夏樹はいつもいってたわ。ゆかりさんにはまだ幽霊がくっついてるから、俺の魅力もわからないんだなんて」

まりが夏樹に対して、神経質なほど自分以外の女を警戒しているのは、まりの愛情の深さで、むしろゆかりは微笑ましく思っていた。まりほどのキャリアウーマンでも男に惚れてしまえば、こうも自信がなくなるのかと見ていたのだ。まさか自分を警戒していたとは思ってもみなかった。まりの要心深さも嫉妬深さも、もしかしたら演技かもしれないとさえ思ったことがある。

「宮原さんは奥さんと別れちゃったんでしょう」

「まだ離婚はしてないみたい」

「ふうん、でも、それは時間の問題じゃないの」

「宮原さんが離婚しようがしまいが、私とは関係ないと思うの、宮原さんは好きだけど、結婚したいとは思わないんだから」

ゆかりの声が思いがけなく硬ばっていた。その調子を、まりはゆかりが宮原と妻の曖昧な関係に苛立っているのだととった。

「そんなにこだわることないんじゃないかな。結婚って、どこか便利主義みたいなところがあるのよね、結婚した方が、お互い便利だから一緒に暮らすってわけよ。あまり固く考えないでいいんじゃないの。もし、宮原さんとゆかりさんが結婚にしろ、同棲にしろ、いっしょに暮らすようになれば、私やっぱり拍手して送り出すわ。ここがどうなったっていいのよ。たまたま、仕事が何もかも予想以上にうまくいったからだけど、ピーターパンの前途も果たしていい風ばかり吹くかどうかわからないわ。募集すればこんな時ですもの、何とかやっていけるくらいの人は集まると思うのよ。

でも、もう私も、今から新しいスタッフを一から訓練するのもしんどいし、あなたのように気心のわかってもらえる人もいないと思うわ。だからもし、ピーターパンが立ちゆかなくなれば、案外夏樹が働き出すんじゃないかしら。あたしは男をかまいすぎる女でしょう。何でも自分にまかしておきなさい的なところがあるから、夏樹を甘やかして、いつまでも大人になりきらないような面を残させているのかもしれないわね」

「考えすぎよ、まりさんは男にとっては理想の母性型だと思う。誰だってまりさんみたいなしっかりした女に、甘えたい願望を持っているのじゃないかしら」

「でも最近、夏樹は冗談めかしてよくいうのよ。今度女房かえるなら紫の上かロリータかでいこうなんて」

「子供から理想の女に育てたいっていうの、それもやっぱり男の願望のひとつでしょうね」

「両方両手に持てば、最高なんでしょうよ」

「でも女だってそうかもしれない」

いつのまにか窓の外が白みはじめていた。

疲れは酔いになだめられて散り、甘い睡気だけがおそってくる。

ゆかりはここ四日ほど何の連絡もない宮原のことを思っていた。毎晩必ず、電話をくれる宮原から、音沙汰がなくなってみると、やはり不安でならない。昨夜はあったかもしれないが、自分がいなかった。今朝はこっちから電話をいれようと思いながら、こみあげてくるあくびを窓の外にむかって吐きだした。

自分の部屋に帰りつくなり、ゆかりは泥のように眠りこんでいた。電話のベルに起こされたのは、昼前だった。

まだ夢うつつのまま、ゆかりはベッドから手をのばし受話器をとった。

「もしもし、水野さんですか」

口調は学生っぽいのに声は低くて、聞きようによっては中年じみている。

「はい、そうです」

と答えたとたん、ゆかりは、はっきり目が覚めた。

「あのう、宮原ですけど……」

ゆかりは思わず起き上がった。

「もし、もし、宮原というものですけど……」

声が低くハスキーなので、ゆかりは宮原の妻かと思った。それにしては口調がぶっきら棒すぎる。

「はい、奥様でいらっしゃいますか」

突然、受話器の向こうで笑い声がした。

「やあだ。あたし、娘の麻美です」

ですが、でえすと聞こえる学生口調に、急に幼さが感じられる。

「ああ、そう、失礼しました」

ゆかりの口調はまだ固く緊張がとけない。

「行ってもいいですかあ、逢いたいんだけど」

麻美の声が次第に明るくなってくる。

「今、どこから?」

「京都」

「えっ、京都にもういるの」

ゆかりの口調もようやく年下の者に対するように親しさが浮かんできた。

そういえば、今日は土曜日だった。校了あけでピーターパンは休みなのだ。

「京都のどこ？」

「京都ホテルです」

「わかりました。じゃ、一時間ほどして、そちらへ行きます。お部屋で待っていてね。フロントから、呼んでもらいますから」

「はい、じゃ、それまであたし、河原町歩いてきます。一時間後ですね」

麻美のてきぱきした応待の中に、宮原の匂いが少しするように思った。

電話の切りぎわにゆかりはいった。

「麻美ちゃんが京都に来てること、お父さまは御存じなの？」

「ううん、内緒、いいつけないでね」

「わかったわ」

ゆかりも学生っぽい口調になっていた。

麻美の口調には、格別深刻なひびきはなかった。自分と宮原の関係をどこまで知っているのかわからない。

ゆかりはシャワーをあび、寝不足の顔をかくすため、いつもより念入りに化粧しながら、まるで、恋人にでも逢いにゆくようだと思った。その想いの下から、この緊張は、やはり恋人の妻に対決しにゆくのに似ているのかもしれないと思う。麻美が敵か味方かわからない。父親に内緒で来たというところをみると、自分と宮原の関係をほぼ察しているのだろう。

何度か迷った末、ゆかりは白いパンツに水玉のブラウスを着て、一度結んだ髪をほどき、香水はひかえて部屋を出ていった。

ホテルのフロントで宮原麻美の名をつげ、呼び出してもらっている時、背後からゆかりは肩に誰かの掌を感じた。

ふりかえると、ほっそりした少女がすぐ後ろで照れくさそうに笑っていた。

「麻美ちゃん？」

ゆかりは自然な声でいった。

麻美はだまったままうなずいた。

とっさに、目と鼻筋に宮原の俤を濃く感じた。

フロントにことわり、ゆかりは、

「どこへゆきましょう、どこへゆきたい？」

といった。麻美は電話より可愛い声で、

「どこへも行かなくていいの、水野さんにお逢いしたかったの」

という。ゆかりは麻美の口調に少なくとも自分に対して悪意は持っていないと感じほっとした。

「それじゃ、ここで、麻美ちゃんのお部屋でお話しましょうか？」

「うん、でも、やっぱり他のところがいい。ホテルのお部屋ってせまくて殺風景だもの」

ホテルの前から木屋町通りを肩を並べて歩きながら、ゆかりは四条の方へ歩いていった。

「高瀬川ってこれ？」

麻美は川床の浅い川を珍しそうに覗いていう。

「そうよ、森鷗外の『高瀬川』教科書に出ていたでしょ」

「ええ、でも、もっと大きい川を想像してた。だってこれじゃ舟なんか底がつっかえて浮かべないみたい」

「麻美ちゃんは京都ははじめて？」

「いいえ、修学旅行の時来たの、でもその時、風邪で熱だして、宿屋で寝かされてつまらなかったの」

麻美の最初から打ちとけている態度が、自然なだけに、ゆかりはなぜだろうとこだわった。

お母さんの御かげんはいいのと訊いていいものかどうか、ゆかりが迷っている時、麻美がいった。

「あたし、お父さんの手帳みちゃったの、悪い子でしょ。それで水野さんの電話番号知ったの」

ゆかりは少し言葉につまってからいった。

「だって、わたしの名前と電話番号だけで、どうして逢いに来て下さる気になったの」

「パパの恋人なんでしょ、水野さん」

返事に窮して黙っているゆかりの顔を、麻美が覗きこむようにした。

「パパがいつかいったの、パパにもし好きな人が出来たら、麻美はどうするかって」

「…………」

「パパはすてきだもの、恋人が出来てあたり前だと思うって答えたの」

「麻美ちゃんとパパは、何でもそんなふうにフランクに話しあうんですか」

「そうね、あの人、いつも忙しいから、めったにゆっくり話したり出来ないわ。でもお互いに理解しあってる方じゃないかしら、だから話は通じあうのね、少なくともママとよりは」

ゆかりはいつも行く喫茶店フランソワに麻美をつれていった。もっと若向きの店が喜ぶかと思ったが、ゆっくり話をしたいためこの店を選んだ。

奥の部屋に人が少なかったので、ゆかりはそこへ席をとった。宮原と来た時もこの席だったと思いながら、宮原が坐った席に麻美を坐らせた。

「古風なインテリアですね」

麻美が店内を見廻していう。

「もうずい分旧いお店なんですって」

「このお店に水野さんはよく似合うわ」

ゆかりは愕いて麻美の顔を見つめた。宮原をここへつれてきた時、やはり宮原が同じことをいったからだった。

麻美はそれとは知らず、ただ自分の感性で無邪気に感想をのべただけなのだろう。

「あたしが突然来たので、水野さんヘンに思ってるでしょう。ママのスパイかと思ってた？」

ゆかりは言葉がみつからず薄く笑った。

「ママが手術したのは知ってるでしょ」

「ええ、その後いかがですか」

「色々あったけど、今落ち着いてるみたい。パパは病院のお金やその外よく見てあげてると思うわ」

そのいい方があんまり他人事のようだったので、ゆかりは麻美の顔を見直した。

「麻美ちゃんは、ママとは仲がいいんでしょう」

「別に。だってママは恋人つくって出ていったのよ。そりゃショックだったし、恥ずかしかったし、いやよね。お友だちに知れたらどうしようと思ったわ。でも、ママを自分たちの都合で束縛出来ないんじゃないかって思ったの」

「束縛？」

「ええ……だってママに、パパやあたし以外に好きな人が出来て、今までの立場や社会的な信用や、生活の安定なんてものを、すっかり投げ出してまでも、その人と暮らしたいというなら、それはママの勝手でしょ」

「勝手じゃなくて、ママの自由といいたいんでしょう」

「そうそう、自由よ。ママの体は縛っておくことが出来ても、心は縛れないわ。そうでしょ。だったら、ママは自分の好きなようにすればいいと思ったの。それにパパはママをそう好きでもなさそうだったし」

「そんなことは決められないでしょ」

「どうして？　だって、あたしはずっとふたりといっしょに暮らしてるのよ、愛情があるかないかくらいはわかるわ」

「こわいことをいうのね」

「そうかしら、当たり前じゃないかしら」

「それで、ママは今その人とはどうなってるんですか」

思わず訊いてしまってゆかりは赤くなった。そんなことを訊く自分が浅ましく思われる。麻美の方は気にもしない様子で平然といった。

「どうも捨てられたみたい。これはやっぱり子供といえども訊ける話じゃないでしょ。でも、病院へ見舞いに来たふうでもないし、入院のこともパパが全部面倒見たんですもの」

麻美の顔にはじめて愁いをふくんだ影がさしてきた。

「手術は終わったんでしょ、病気がよくおなりなら、おうちへ帰られるといいのに」

「ほんとにそう思う？」

麻美の目がまっ直ぐゆかりを見つめてくる。

「どうして？」

「だって、そうしたら、水野さんはどうなるの」

「どうって、わたしは、パパの奥さまになるつもりないし、麻美ちゃんのママにもとてもなれないわ」

「一生、愛人でいいの？」

「あのね、麻美ちゃんのママが誰を好きになるのも自由なように、わたしが誰を好きになるのも自由なのよ。でも、好きになっても、必ずしも、男と女は結婚しないでもいいんじゃないかしら、今愛人っていったけど、愛人というひびきの中には、何か不純なものがあるわね。二号さんとかお妾さんとかいった立場を、今じゃみんな愛人ってことばで片づけるでしょ。愛人って言葉のひびきには、女が経済的に男の世話になってるような立場もふくまれるでしょ。わたしの場合は、誤解のないようにいっておきますけど、決して、麻美ちゃんの家庭に割りこむ気持も、パパに経済的面倒かけるつもりもないのよ。まして結婚も考えていないの」

「ふうん、じゃパパがもし他の誰かと結婚した場合は？」

「まあ、はじめてそれは考えることだわ。麻美ちゃん、いいこと教えてくれたわね、そういう場合を全然、考えてもみなかったの」

「自信があるからだわ」

ゆかりは愕いて目をみはった。

「自信？」

「そうよ、パパが水野さんにすっかり心を奪われてるって思ってるのよ」

「麻美ちゃんは心理学者？」

ふふっと、麻美は鼻の上にしわをよせて笑った。いたずらっ子のようなそんな笑顔になると、急に、子供っぽさが滲んできて、可愛くなる。

「でも、パパの方はもうママに対して愛情がさめきってるわ、それはわかるの」

「夫婦って、そんなに単純にゆかないのよ。それに結婚生活って必ずしも愛情がなくっても可能なんじゃないの」

「愛もない男と女が家族ぶるなんて不潔よ、やっぱり愛があった方がいいに決まってるわ」

ゆかりは断固としていう麻美の声を、ふっと、神か仏の声のように思った。

まだ若い愛の挫折を知らない麻美が、結婚や家庭に対して美しい夢を捨てていないのが、当然ながらやはり美しかった。ゆかりは自分の考え方の暗さや歪みを叱咤されたように感じ、それが快かった。

「麻美ちゃんの考えの方が正しいのよ」

「あたし、今、なぜ自分が水野さんに逢いたくなって、京都へ来てしまったのかわかったわ」

麻美が生真面目な顔付きでいう。

「どうして？」

「ほんとうの愛にきらきらしている女の人に逢いたかったんだわきっと。愛の死んでしまった親たちを見ていて、自分まで気がめいりそうだった。今、愛に輝いている女の人の生気にふれたかったのね、たぶん」

「その麻美ちゃんの期待を、わたしは裏切ったわけね」

コーヒーが運ばれてきて、麻美は砂糖をたっぷりいれた。

ゆかりが砂糖をいれないのを見て、麻美はくすっと首をすくめた。

「きれいな人はそれだけの努力をしているのね……水野さんは想像してたよりずっときれい。でもそのきれいさはパパを愛してるからじゃなくて、外の理由かもしれない。パパって、娘の目から見てもちょっといい男だけど、水野さんはもっとすてきな若い人が恋人になってもいいんじゃないかな」

ゆかりは吹きだしてしまった。

「パパが聞いたら、何ておっしゃるかしら」

「さっき水野さんのいったこと、よく覚えておくわ。うちの家庭崩壊、家族離散のうき目を経験して、あたし結婚生活に夢なんかなくしちゃったの、あたしの年で不幸だわね」

そういう麻美の顔付きは相変わらずあどけなく無邪気そうなので、ゆかりはとまどってしまう。

「でも、キャリアウーマンに憧れてたから、水野さんに逢って、女でもしっかり仕事持ってれば、男にしがみつかずにやってけるんだなあって、安心したわ」

「まだ麻美ちゃんはそんなに若いんだもの、何も前途のことを決めてしまわない方がいいわ。きっと、すてきないい青年があらわれて、きらきらした愛に恵まれると思う。ほんとよ」

「どうもありがとう」

麻美はまるい顎をひいてちょっと上目づかいにゆかりを見上げた。

「あのね、ほんとはね、好きな子がいるの、交換日記なんかつけあっていたのよ。ピアノの先生とこの坊ちゃんだけど……でも最近、彼は、年上の女の人を好きになってしまって、あたしは失恋しちゃったの」

「失恋って、そんなに深刻なの？」

「ううん、それほどでもないけど、やっぱり彼にさよならっていわれると、プライドが傷つくし、淋しいし、口惜しいでしょ、辛いわ」

麻美の目にいきなり涙がもり上がり、頬にほとばしるように流れた。ゆかりは抱きしめてやりたいほど可愛いと思った。

「あたしもとても耐えられないほど辛い失恋をしたことがあるわ」

「えっ、水野さんみたいなすてきな人でも失恋したの？　ほんと？」

「ほんとよ、もう死んじゃおうかと思ったくらい。だから心の底では何となく男の人をまだ警戒してるのね。でも、麻美ちゃんは若いんだもの、きっともっと、幾度も恋をして、成長していくのよ」

「先のことはわからないわ。でもあたしママを見てるから、ママのようにみじめにはなりたくないと思って、じっとがまんしたの、プライドだけが支えてくれたみたい」

「麻美ちゃん高校の受験は？」

「学校に興味ないんだなあ、受験勉強っていやなの、アメリカへいきたいの」

ゆかりはこの少女が宮原の娘でなくても、きっと好きになっただろうと思った。麻美を喜ばすため夕食はどこへつれていこうかと思案しはじめていた。

夕食をすませてホテルへ帰ったら、フロントでメッセージカードを渡された。東京から宮原が何度も電話を入れているらしい。

ゆかりはフロントで、麻美の部屋をツインにかえてもらい、自分も泊まることにした。

「わっ、ほんと、嬉しい」

麻美は、喜びの余り、背後からゆかりの肩に飛びついてきた。

部屋に入るとすぐ、ゆかりは、宮原に電話を入れさせた。

「うん、そう……だって、心配しないようにちゃんと置き手紙書いてきたじゃない」

宮原に叱られたらしく、麻美が口をとがらせて文句をいっている。

「持ってるわよ。貯金おろしてきたもの……だって、パパはどこにいるかわからないじゃない。自分はいつだって居所もしらせておかない癖に、そんなに文句いわれる筋はないと思うわ……いいから、そんなにうるさいこというなら、びっくりする人出してあげる」

麻美はあいた片手でゆかりを手招きした。

ゆかりが近づくと、つと、受話器を持たせた。

「おいおい」

宮原のあわてた声がいきなり受話器に入ってきた。ゆかりは笑いをこらえながら、

「はい、代わりました」

と答えた。受話器の向こうで宮原が絶句した。

「もし、もし……わかります？　あたし」

「ああ、びっくりした。いったい、どうなってるんだい」

「麻美ちゃんからいきなりお電話いただいて、わたくしたち、ずっと今日一緒にいたんです。そちらからお電話いただいた時、わたくしが麻美ちゃんをつれだしていたんです。御心配かけてすみません」

「いや……こちらこそ麻美が御面倒かけてるようで……どうも……」

宮原はまだ愕きの整理がつきかねている不安定な声をしている。

「とても可愛い方ですね、すっかり仲よしになりましたのよ」

「何だかおかしいな、何といっていいんだか、まさか、そんなとっ拍子もないことする子だとは思わなかったから……」

「とてもさわやかないいお嬢さまですわ、お父さまより魅力的よ」

「そんなこといっていいのかい？」

宮原の声にようやくゆとりがもどってきた。

「今夜はわたくしもここへ泊まりますから。今ツインの部屋とりましたから、明日はちゃんと、新幹線に乗せるまで責任持ちます。どうか御心配なく」

「いや、どうも……あんまり、悪口ふきこまないで下さい」

「さあ、どうでしょうか」

声を急に低めて宮原が囁いた。

「麻美のやつ、羨ましいな、妬けるねえ」

「ではおやすみなさい」

麻美がベッドの上から、

「おやすみなさあい」

と大きな声をあげた。ゆかりが受話器を置くのを待ちかねて麻美がいった。

「ね、ね、パパ妬いてたでしょ、いい気味」

麻美が健康そうな寝息をたてはじめてからも、ゆかりは目が冴えて眠れなかった。

今日の麻美の言動のすべてを思い返して、麻美の訪問の真意をさぐろうとしても、結局、若い娘の気まぐれな衝動的行為とでも解釈するしかないような気がする。

眠りに落ちる前も、しきりに、結婚はともかくとして、宮原とは別れないでくれというようなことを繰り返していた。

家を出た母を病気になったからといって再び受けいれるのは、たとえ宮原が許しても自分は反対だというのだった。

「自由はいいけど、やっぱり、自分のしたことに人間って責任をとらなきゃいけないんじゃないかしら。ママはその意味で、もう宮原家へは帰れないと思うの。だって、ずるずる帰ってきたら、いったいママは何のために、家を出たかわからないでしょ」

「でも、御病気なのよ。病人なら、自分の行為に責任をとろうとしても、とりきれないことがあるでしょう。健康な人間は病人をかばう義務があると思わない？」

「こちらに義務があるなら、病人といっても向こうにも義務はあると思うの。病人だからといって、何でも許すのは、かえって病人を差別してると思う」

麻美の理屈ははっきりしていて、小気味がいいが、ドライすぎるとも思う。ゆかりは宮原の妻に逢っていないだけに、判断の下しようがなかった。

さっき宮原と電話でよくも話せなかったことが気になった。

もう十二時をとうに廻っている。ゆかりは気配をしのばせてベッドをぬけ出ると、手早く服をつけ、廊下へ出た。ロビーにはもう人影もなかった。

電話室にも誰もいない。テレホンカードをさしこむと、宮原を呼びだした。

電話が通じるや否やすぐ受話器がとられた。

「もし、もし」

「あ、今、かけようかと思って電話をみつめていたところ」

宮原の弾んだ声がいう。

「眠れないから……ここ、下の公衆電話からです」

「ありがとう。いったい、奴さんは何を考えてるんだろうね、さっぱりわからない」

「あの年頃って、逡巡がないのかもしれませんね」

「ぼくたちのことをいつ気がついたのか」

「それはわかりませんわ。でも娘のカンって鋭いですから……ただ、わたくしはとても好かれた様子ですのよ」

「それはよかった」

「しきりにあなたとのこと取りもつようなことというから、かえって落ち着かないんです」

「実は……こっちから電話したかったんだけれど、今日、麻美の母親と、こっちとの弁護士どうしの間で、離婚が成立したんです。ま、聞いて下さい。どうせ、関係ないとあなたはいうに決まってるけれど、向こうの条件を出来るだけのんでやってけりをつけました。憎んでるわけじゃないけれど、覆水盆にかえらずですよ。麻美にはいずれ折を見て話すつもりだが、あなたには早く知ってほしくて」

「何て申しあげたらいいのかしら、こんな場合」

「ただ聞き置く程度でいいんです」

月曜日、十時すぎピーターパンに着くと、道子と麻子がいっしょに口を開いた。

「遅かったですね」

ゆかりはむっとして二人を見返った。朝はもっと遅い日だってある。そのかわり、ゆかりやまりは、夜の夜なかまで仕事をすることもある。渉外の責任を持っているゆかりは、楽しくもない接待やつきあいで、夜なかまでつきあうことだって多いのだ。こんな詰問めいた仕方をされたことはなかった。麻美の突然の来燕でふりまわされ、ゆかりは今日は休みたいくらいだった。

ゆかりの不機嫌に気づかないらしく、道子がいう。

「ゆかりさんが着いたら、すぐ家の方へ連絡するようにって社長がいっています」

「もう何度もゆかりさんのマンションに電話してるんですよ、留守番電話だからどうしようもないんです」

麻子が苛々した口調でいう。

「気分が悪かったから留守番電話にしといたのよ、いったい何があったの」

「えっ、知らないんですかまだ」

麻子が呆れたようにいう。

「並木さんがなくなったんです」

「ええっ」

ゆかりは絶句した。道子がすぐ朝刊を持って来て、死亡欄を示した。

並木啓一郎の死がそこに報じられていた。啓一郎の社会的地位にふさわしい扱われ方で、写真も出ていた。

昨夜、午後七時十分と死亡時刻が出ている。お通夜は今日、告別式は三日後となっている。

死因は急性心不全。ゆかりは道子が引きよせた椅子に無意識に腰をおろしていた。今朝はまだ新聞を広げる閑もなかったのだ。

いつ頃の写真なのか、啓一郎はずいぶん若く写っていて別人のような感じがする。

「急だったんですね」

麻子が気をきかしてコーヒーを入れてくれた。

「ブランデーを少しいれて」

ゆかりは道子にいった。道子がブランデーの瓶をとってきた。コーヒーを一口のんでから、ゆかりはもう一度新聞に目を通した。まだ並木の死が実感となって来ない。並木が自分に特別の感情を持っていたのはわかっていた。ゆかりも並木が嫌いではなかった。食事に誘われても愉しんで出かけていった。好意を寄せてくれていても、並木が紳士としての節度を守って、決して度をすぎた迫り方などしないとわかっていたので安心だった。

時々ふっと、見つめてくるまなざしに、並木の年齢を忘れさせる焔のゆらめきのようなものを見ることがあったが、気にしなかった。時々、分にすぎた贈り物をしてくれるのに困ったが、並木のくれ方はさりげなくて、返すとかえって角が立ちそうで受けとっていた。

つい一週間ほど前も電話で食事に誘われたが、ピーターパンの機関誌の校了にさしかかっていたので断った。

「それじゃ、また、月末あたりに」

並木はあっさりいって電話をきったのだ。

その時、並木が、

「あなたのお誕生日にちょっとしたものが届きますよ」

といった。

「あら、いつ、誕生日などお教えしたかしら」

「七夕さまの生まれだから、恋愛には運がないんだといいましたよ」

と、並木は面白そうに笑った。まだあの笑い声が耳に残っている。暮れにエルメスのケリーバッグをもらった時も、まりに返そうかしらと相談したくらいだ。

電話のきれた後で、並木啓一郎の誕生日をしらべておかなければと思いながらまだ果たしてなかった。紳士録を見ればいいという安心があったからだ。

誕生日のことは気にしても、まさか死亡の日を予感などはしなかった。

ゆかりはコーヒーをのみ終わってから、まりに電話を入れた。

「びっくりしたわね」

まりの声がまだ興奮を抑えかねたようにいう。

「急ですものね」

ゆかりの声は沈んでいた。

「今夜のお通夜には二人でゆきましょう。その前に枕花の手配しておいてね。六時から八時まででしょ。五時半にここへ迎えに来て」

まりはいうだけいうと電話を切った。

道子に花屋へ電話をかけさせ、仕事の手配だけしておいて、一まずマンションに帰ってきた。

一人になり、並木の死についてもっと考えたかった。並木の好意を利用して、ピーターパンとの有利な契約を結んでしまったことが、妙に後ろめたくなった。並木が自分に女としての魅力を感じていなかったら、あれだけ押しの強い交渉は出来なかったのではなかったか。並木とのつきあいには少なくとも打算が伴っていた。

そのことを並木は全部見抜いていて、尚且つ、ゆかりの手柄になる契約をしてくれたのだった。

「並木さんは相当ゆかりさんに惚れこんでいるのね」

まりはゆかりの持って帰った契約書を点検しながら、つぶやいた。

ゆかりは心の中で、並木に向かってあやまった。並木の気持を決して冷めさせない程度に媚び、自分にひきつけ、その間ただの一度も、並木の恋を受け容れる気持もなかったことが後ろめたかった。自分がひどく打算的な、心の冷たい女のように思われ自己嫌悪が湧く。

今にして思えば、並木はただの一度も自分に野心など抱かず、ただ愛だけをそそいでくれたのではなかったのか。

自分の自惚れと傲慢が恥ずかしく、ゆかりは唇を嚙んだ。

自分を愛してくれた男の二人の死に様を思い比べてみた。

ふたりとも唐突な死という点で同じだった。並木の死がなぜこうも辛いのか、ゆかりにはわからなかった。両掌で顔を掩うと涙がとめどもなく流れてくる。

「ルル、どうしたの、すっかりお婆さんになってしまって、だめじゃないの、おお、可哀そうに」

栄子がルルと喋っている。

前から栄子は人には無口で、猫や小鳥とはよく喋る女だった。

高知からひとり帰って二十日ほどすぎた頃、くめが栄子を伴ってきた。

「いいたいこともいっぱいあるだろうけれど、ここはだまって帰らしてあげて下さいな」

栄子は家の外に立ってルルを抱きしめていた。ルルの首の鈴がちりちり鳴っている。

栄子がつけていった鈴だった。

こんな場面を夢に見たことがあると思い、章史は栄子を家へ入れた。

くめは幸子からいいつかったのだと、す早く囁いた。

「気っぷのいい人だったね」

章史は返事をしなかった。栄子ひとりではとても帰り辛くて動けないだろうと、くめに因果をふくめて頼みこんでいったという。

「どこにいるのか知ってるのか」

章史は土をこねる手を休めず、くめを見ないでいった。

「とんでもない。そんなこと知りませんよ。手紙が来たんですから」

「その手紙見せてくれないか」

「……焼いてしまいましたよ……そう書いてありましたからね」

嘘に決まっていると思ったけれど、章史はだまっていた。

栄子はくめが帰ってゆき、章史が入れと声をかけるまで、戸の外でルルと遊んでいた。

家の中へ入ると、手をついて低い声で、

「申しわけないことしてしまいました」

といって頭を深く下げた。泣いていないのが助かったが、泣かないのが許せない気もした。

章史の目には、栄子はやつれても、老けてもいないと映った。

栄子を見ると、幸子が思い出された。今にも襖の向こうから、はじけるように笑いながら、幸子がふたりの間に飛び出してきそうな感じがする。

「待ちきれなくて、妙な因縁で、しばらく女と暮らした」

「知っています。逢いました」

栄子がいう。

「お互い勝手なことをしてきた。昔の通りには、すぐにはいかないだろう、お前だっていやだろう」

「………」

「しばらく、暮らしてみよう。何とかなるさ」

「申しわけありません」

栄子がまた頭を下げた。

章史はそんな栄子を見て、どこかちがうと思う。栄子の外で過ごした時間の足跡が、栄子の軀に何かを刻みつけていったようだった。

章史は立って、自分でウイスキーをとってきた。栄子は前のようにすぐ立って氷の用意をしようとはしない。

章史は二つ持ってきたコップを栄子の前に一つ置いた。置いたとたん、あ、栄子は呑めなかったんだと思った。

栄子が立って台所へゆき、アイスペールに氷をいれて来た。冷蔵庫を買いかえている。アイスペールも幸子が町で買ってきたものだった。そういえばこのグラスも半端になっていたので大値引きさせたといって自慢して買ってきた。栄子との生活は質素で食器などに凝るゆとりもなかった。

幸子は陶工がこんなものを使ってはセンスが疑われるといって、次々食器を買ってきた。上物の半端をみつけ、安く値切るのが得意だった。栄子が台所の変わり様をどう見ただろうと思うと、章史は複雑な気がしてきた。寝具も綿を打ち直し、すっかり新しくなっている。

「こんなに気がつくのに、あの下宿の部屋は殺風景だったじゃないか」

酔って機嫌のいい時からかったことがある。

「住まいなんて、一番心を反映するものよ。不幸な時や心の荒れてる時は、部屋なんて構う気しないわ。缶詰からそのままものを食べたりしてたわね。美味しいものだってきれいなものだって、それを喜んだり愉しんだりしてくれる人がいてこそはりあいが出て作ったり、飾ったりするんじゃないの、少なくとも、わたしは、そういう感じね」

栄子が帰ってきて、こんなに幸子の言動のすべてが思いだされてきてはたまらないと思う。

栄子が、チーズやしじみのつくだ煮などを小皿に乗せ、持ってきた。

「これでいいかしら」

他所の家に来たようで勝手がわからないのだろう。遠慮したような口調をきくと、ふいに栄子が哀れになった。

「おいで」

章史はグラスを置き手をのばした。

ちょっとためらった後、栄子は目を伏せたままゆっくり膝ですりよってきた。

章史の腕の中に倒れこむように栄子の上体が傾いた。章史の顔を栄子の匂いが包みこんだ。幸子ではない栄子の体臭だった。章史は力いっぱい栄子を抱きしめた。栄子が章史の胴に腕をまわし、肩に顔を押しあてて泣きだした。

声を抑えているが、熱い涙が章史のシャツを通して肌にしみこんでくる。

章史の掌が栄子のしゃくりあげる背を撫でてやる。次第に栄子の背がおだやかに静まってきた。

腕に栄子の重さを受けとめ、その背を撫でおろし、体温を互いの肌に交わしあいながら、章史は体内に一向に欲情の湧かないのを感じていた。

馴染みきった栄子の温みや匂いや、吐息に包まれても、かきたてられない肉欲はどこへ行ってしまったのか。

章史は栄子の耳に口を寄せ、囁くかわりに静かに嚙んだ。栄子が全身を震わせ、腕に力がこもった。

今、自分が幸子の匂いや、動きや、うめき声を切ないほど思い出しているのと同じように、自分にしがみつきながら、栄子の瞼には、別の男の俤が映されているのではないだろうか。一瞬に胸をよぎった想いを振り払うように、章史はいきなり荒々しく栄子をその場に押し倒していった。

栄子はすでにおびただしく濡れていた。かつての栄子にはない現象だった。

章史の指に反応する栄子のすべては、章史には覚えのない激しさだった。

栄子は変わった。栄子を変えた男の存在が、はじめてなまなましく章史を捕らえた。思いがけない嫉妬と、憎悪が章史の全身を熱くじした。闘志が湧き、章史は顔のない幻影に向かって銃の焦点を定めるように、栄子の官能の波を、いっそうあおりたてていく。妙に頭は冷えていた。章史は目を据えて栄子の表情のどんな変化も見逃すまいとしていた。

栄子はすでに自制する力を失い、章史の目の下で乱れきっていく。

「ね、ね、来て」

仔猫の甘える鳴き声のような細い声を、栄子はふり仰いだ咽喉の奥から出している。

章史は自分を制しながらも、もっともっと栄子をさいなみたい気持がつのってきた。

栄子があせって、いきなり章史の掌に噛みついた。

章史は痛さのつきあげる感覚の中で、ようやく栄子の中に入った。

栄子は前後不覚に寝入っている。

それが寝癖になったのか、いつの間にか章史に背をむけ、壁の方にむいて、脚をちぢめ、胎児のように丸くなって眠っている。その寝姿は妙にわびしく孤独に見えた。

章史は枕元の煙草をひきよせ、火をつけた。

スタンドの灯を消すと、闇の中に煙草の火だけが赤く点になった。

章史が一服するのを待ちかねたように、幸子が手をのばしてきて、煙草をとりあげ、深く吸ってから闇に吐きだしたものだ。その煙草を章史にかえし、章史がまた吸って幸子に手渡してやる。

共有した快楽のうま味と疲れが、ふたりの間を埋め、ひとつにとけあわしているのを感じる。

肉体は離れた後も、まだ感覚のすべてがひとつになったまま離れていない、あのうっとりと心身のゆるみきった平安が、幸福と呼ぶものかもしれない。

栄子は酒も煙草ものまない。幸子との間の、互いに開放しきった後のあたたかい波につつまれているような一体感はないが、胎児のように軀をまるめて眠っている孤独な姿には、哀憐(あいれん)の気持が湧きおこってくる。

何の因縁で、広い世間の中から、ふたりの女が自分のような頼りない存在のもとに流れついてきたのか。

章史は深い悲しみに似た感情が心にひろがっていくのを感じた。

いつの間に栄子が目をさましたのか、闇の中に静かな声がした。

「あのね……話してもいい？」

「ああ、いいよ、眠ってるとばかり思っていた」

「……幸子さんを探すことは出来ないのかしら」

「出来ないだろうな、自分から姿をくらましたのだから、身よりもない女だし、探しようがない。どうして？」

「わたし、やっぱり帰って来なかった方がよかったんじゃないかしら」

栄子の声は鼻にかかりしめっていた。

「どうして」

訊きかえしながら、章史は栄子の気持は訊かなくてもわかっていると思っていた。

「何だか、落ち着かないわ」

その声があんまり素直で心細気だったので、章史は悪人は自分ひとりのような気がしてきた。

「落ち着かないって」

言葉が自分の気持と関係なく出る。

「どっかちがうの……」

「そりゃ、しばらく別の人間がいじくった家だものね、特に台所なんか」

「いいえ、そういうこととちがうの、あなたも変わったし、わたしはもっと変わったんだなあと気がついたの」

あれだけ我を忘れて性愛に没頭した直後に、そういうことをいう栄子の肉体と精神の離反に、章史は息をのんだ。

「あなたも、なんていって悪かったかしら」

「いや、正直でびっくりしているところだ」

「どこっていえないの、でも……ちがう」

たぶん肌をあわせてみて、肌がそうつぶやいたのだろうと想像した。

「よくなかったのか」

また心にもないことを口にしてしまう。

栄子は返辞に窮して、耳まで赤くしながらだまりこんでしまった。

こういう自分を栄子の心は変わったと認めて、受けいれ難くなっているのだろう。栄子のいう通りだと章史は思う。以前の自分は、決してこの種の言葉は口にしない筈だった。

「ごめん、変なことばかりいって」

章史も素直になりたかった。

「栄子のいうことよくわかるよ。お互い人間なんだもの、木や紙をくっつけるようにはいかないさ。幸子がおかしいんだ、あれは単細胞だから、自分さえいなくなれば、元のさやにおさまると勝手に決めていたんだ。お互い、勝手なことをしてきた時間があって、その記憶がまだなまなましいんだから、こだわるよ」

「ごめんなさい……わたしが一番いけないんです」

「そんなこと今更くどくどいっても、ちっとも問題は解決しない」

「わたしこそ、やっぱり、ひとりになってやっていきますから、幸子さんを呼んであげて下さい」

「知らないっていってるだろ、居所なんか。そんなことがわかるようなヘマな身のかくし方はしないよ」

「わたし、勤めるのは平気なんです。おわびに少しでもあなたのお役にたちたかったんです。それで帰ってきたけれど、自信なくなって……」

「それで、どうしたい？」

「出ていきたいんです」

「……ここで、他人のまま、暮らすってことは出来ないか。女房としてじゃなく、共同生活者として、何なら月給払ってもいい」

栄子の顔に、一瞬とまどう影が浮かび、その影の後に脅えに似た硬い表情が刻まれた。

夫婦としてでなく、他人どうしの共同生活者として暮らすなどという章史の真意が計りかねたからだった。

それなら、いっそ別れた方がいいのにと思う栄子の気持を見抜いて章史が言葉を重ねた。

「どうせ、どこかで働いて身すぎするなら、ここで就職したつもりでいたらどうだろう。もちろん、セックスなどは求めないよ」

「それなら、セックスだって金銭ずくにしたらどうですか……いやだわ、そんなこと」

栄子の口調がきっぱりして激しかったので章史は苦笑した。

「怒らせてしまったらしいね。そういう意味じゃないんだ。侮辱していったんじゃない。もっとお互いの気持が自然にもどるまで、そうやって冷却期間を置いたらどうかと思ったまでだ」

栄子はもう答えなかった。章史の気持に納得しない顔付きで、絶望的なそそけ立った表情をしていた。

章史も、それ以上話す気持は失った。

眠る気分にもなれなかった。幸子はけんかになると、泣いたりひっかいたりしたが、後はけろりとして、スポーツの後のように互いにさっぱりしていた。面白がってわざとけんかの種を売るようなことさえあった。

栄子の生真面目さや融通のきかなさの中には、およそ遊びのゆとりがなかった。その性質が、あんな思いがけない行動をとらせたのだろうと思った。

まだ栄子の出ていった原因も、その後の生活も章史は誰からも聞いていない。いつか栄子が話すかもしれないと思うが、強いて聞きたくもなかった。聞いてしまえば、やはり許せない気持や、栄子を嫌悪する気持がわかないとはいえない。かといって、それを訊かずに栄子と暮らしていけるとしたら、自分はやはり栄子を本気で愛していないのかもしれないと思う。

「もういい、寝よう……明日、ゆっくり考えたらいい」

「はい」

栄子も疲れきったような表情で寝返りを打ち、蒲団をひきかぶってしまった。

泣いているような気がしたが、もう章史は声をかけなかった。いつの間にか前後不覚に眠りこんでいた。

目が覚めた時、隣の寝床はきれいに片づけられ、畳にはすでに昼に近い陽がさしていた。

章史は、はっとして上体を起こした。栄子が出ていったと思った。

ねばりつく咽喉から声をふりしぼり、

「栄子」

と呼んで見た。声がかすれ、大声を出したつもりなのに、かすれた。

「栄子」

もう一度声をはりあげた。

「はあい」

台所の外で声が答えた。

全身の力がぬけ、章史はまた寝床に倒れこんだ。

栄子が出ていったのは、それから五日後だった。

あの夜以来、どちらからともなくひかえた形で、ふたりは別々の夜具に寝て、寝物語をすることもなかった。

便箋に走り書きしたものが、枕元の灰皿の下に敷いてあった。

「また出て行くわがままを見逃して下さい。幸子さんの行方がわからなくても、もうここは私のいる所ではないとわかりました。

何もかもゆるして下さって、置いて頂き有難うございました。

でも、それはあまりに図々しいことでした。

この前出て、しばらくいっしょに暮らした人は死にました。罰が当たるなら、私が死ぬべきなのに、神さまも仏さまも不思議なことをなさいます。

私の罪を背負って死んでくれたのだと思います。

あなたと暮らしながら、その人の供養はやはり出来ませんでした。

幸子さんのように、あなたの仕事のお手伝いも出来ませんでした。

私は一人で食べていける自信だけはつきました。何をしても、仕事のえりごのみをせず真面目にやっていけば、女ひとりの口すぎくらいは出来るようです。心配しないで下さい。

離婚の届をもらってきて、自分のところに判を押しておきました。

いつでもお好きなように出して下さい。

では、御からだだけには気をつけて下さい。いつでも御幸せを祈っています。

さようなら」

この前のようには、章史は愕かなかった。

そういうことかと、うなずいただけだった。

顔を洗いにゆくと、新しいタオルの上に新しい歯ブラシがのせられていた。

コップにほたるぶくろがさしてあった。

家のすみずみまできれいに掃除がしてあった。食卓には朝食の用意が出来ていて、鍋には味噌汁があたためればいいだけになっている。

この前の家出とくらべ、今度は栄子が落ち着いて考えぬいた後の行動だと知れた。

章史は黙々と朝食をとった。味噌汁をあたためる気にはならなかった。

女に家出された後、男が女の用意した味噌汁をあたためて食べると思うのが、女の神経のあさだと考えた。

それでも、女のつくっておいた朝食を食べているのだから、自分もまあ似たりよったりの神経かと、章史は苦笑した。

もう女はこりごりだと思った。

栄子の用意した新茶の缶を切りながら、久しぶりで上京してみようかと思う。

久美子に見てもらいたい皿が一枚焼き上がったら、それを見せがてら久美子を訪ねようと思った。

去る者は追わず。そう思った時、ルルの姿が見えないのに気がついた。家じゅう探してみたがルルは見当たらない。猫は家につくというが、もしかしたら栄子を追い、後について行ったのかもしれない。

ふいに孤独感が胸につきあげてきて、章史は茶にむせ、机にうっ伏した。

久美子が報らせをきいて新幹線で駈けつけた時、もう並木家に入る小路のあたりは、車でごったがえしていた。近所の寺の広い駐車場を借りていたが、そこだけでは収まりきらない様子だった。

今夜の通夜は身内だけだと思ったのに、会社関係の人々がとにかく駈けつけてきているらしい。

門は開けたままになって、早くも忌中の白い紙がはってある。

門前のたんぼに早苗がのび、蛙がいっせいに鳴きたてていた。

梅雨の晴れ間の空に、星が蛍火のようにまたたいていた。

車中の三時間、ずっと啓一郎のことを想いつづけてきたつもりなのに、ここに立つと、結局、車中ではぼんやりして何も考えていなかったことがわかった。

啓一郎の好きなやまももが今年は生り年で、夜目にもびっしり実をつけているのを見た時、ふいに久美子の瞼がふくれ上がってきた。

啓一郎の死を冴美から電話で報らされて以来、なぜか涙が一滴も出なかったのに、今はもうこらえようもなくあふれ出てくる。

表門から続々と人々が出てくるので、裏木戸にかくれ、台所口へ廻った。

いきなり台所口から姿を見せた久美子を見て、

「まあ、奥さん」

と、流しの前に立って湯のみを洗っていたみねが声をあげた。見知らぬ女たちが、二、三人、台所を手伝っていた。

「こんなところから」

「表はいっぱいだったから」

みねはあわてて手を拭きながら茶の間へ入り、手をついて涙をこぼした。

「とんだことになりまして……まだ、ほんまや思えしまへんのどす」

「そうね、いろいろお世話かけっ放しね……」

「とんでもない。もうわたしのような年より、旦さんの替りにならしてもらいとおした。情けのうて、情けのうて……」

「嫂（ねえ）さんは？　大丈夫？」

久美子の想いをこめた口調に、みねが、涙をふいてうなずいた。

「へえ……もう、すっかりようならはりまして……こんなことなら、もっと早うお帰り願うんやったと悔まれます」

久美子が色喪服に着がえているところへ冴美が入ってきた。

「あっ、いつつかはったん？」

「たった今よ」

冴美は瞼を少し赤くしていたが、黒いワンピースで、しゃきしゃきした感じだった。悲嘆にくれている閑もないのだろう。緊張感が、表情にも体つきにもあふれて、美しく見えた。

「お母さんはお客さんに頭下げっぱなしで、ひっこむこと出けへんの」

「わたしが少し代わりましょうか」

「それでもやっぱり、お母さんがいいひんと恰好つかへんのとちゃうかしら」

「そうね、でもそれだけ元気になって」

「あのね、へんな話」

冴美が久美子の耳に口をつけて囁いた。

「今度のショックで、ぱしっと、お母さんの頭、治ってしもたみたい、逢えばわかるわ」

奥座敷に読経の声が聞こえ、通夜の花々が廊下まであふれる中で、人々がしめやかに往来していた。

人の列を横切っていくと、遺体の横たわった裾の方に喪服の真穂がひかえていた。

長い病院生活のせいか、色がさらしたように白く見える。伏し目にしていた目をあげ、真穂が久美子を見て、思わず腰を浮かせた。

目で制して久美子はその横に坐り、

「大変だったわね」

と小さくいって、そのまま膝をすべらせて、盛り上がった蒲団の方へ寄っていった。白布をあげ、啓一郎の死顔を見た。おだやかな美しい死顔だった。啓一郎の美貌が、そのまま彫刻されたように固くなり目を閉じている。

気の合う兄妹だっただけに、久美子は啓一郎の死顔を見たとたん、認めなければならない肉親の死がはじめて胸にじんとおさまってきた。

やっぱりあんまり急なことで信じられなかったのだ。いや信じたくなかったのだということがわかった。若い頃、兄は久美子にとって誇りだった。兄に心をよせる女たちから、久美子はずいぶん可愛がられたものだった。

どんな逆境の時でも自分をかばってくれた啓一郎は、もしかしたら、自分のどの恋人よりも、一番の理解者だったのかもしれないと思えてくる。

――もっと、もっと、話しておきたかったわね、まさか、こんなに早くなくなるなんて思ってもいなかったから――

胸の中でつぶやき、久美子はもう一度、啓一郎の顔を記憶に刻みこむように眺めてから、白布をかけた。

その時、枕元に近いところに、小ぶりだが胡蝶蘭を主にした品のいい枕花の籠が置かれているのに気づいた。名札もひかえめに、水野ゆかりとある。その横には倍くらいの大きさで、それは蘭ばかりだが薄紫や淡い黄色もまざった豪華な花籠があり、ピーターパンと、やや目立つように名札がさされていた。

久美子は水野ゆかりの長い美しい首筋を思い浮かべた。啓一郎の最期に近く、あの美しい女が少しでも慰めになってくれていたらと思い、ほっとする気持があった。

もしかしたら、今夜か告別式には姿を見せるだろう。逢って話したいものだと思いながら、真穂の隣に坐った。

「疲れたでしょう、まだ無理はいけないわ。少し休んでいらっしゃい」

「ええ……でも、もう少しのようだから……」

「疲れた顔してますよ。後がいろいろ大変なんだから、今夜は休んでらっしゃい」

「そうね……それじゃ二十分くらいね」

真穂は立ち上がろうとしてよろけた。あわてて、久美子が支えてやると、その手を力いっぱい握りしめ、ころんだ子が母の手にすがりつくような、力んだ純な表情になった。

真穂は立ち上がると、啓一郎の遺体の方に合掌して、静かに出ていった。

その物腰は、すべて落ち着いて上品だった。悲しみの感情をつとめて抑えたけなげな主婦の感じがした。

久美子はその時、ふっと啓一郎の抑えた低い笑い声をきいたように思い、はっとして目をあげた。

死者は、医師が絶命を告げた後も、魂は肉体から離れたまま、しばらくはその部屋にとどまっていると誰かに聞いたことを、久美子は思いだした。部屋の天井のあたりで泣き沈んだり、葬式の相談をしたりする遺族の様子をじっと見下ろしているのだと不気味なことをいう友だちを、みんなして馬鹿にして笑ったような記憶がある。

今、久美子は、もしかしたら啓一郎はまだこの部屋にいて、みんなを見下ろしてにやりとしているのではないかという気がしてきたのだ。

啓一郎の魂が真穂の様子を見ていて、

――ほら、久美子、治っただろう。今度のショックで、自分への甘えがとれたんだと思うよ。

それだけでも、おれの死は役に立ったじゃないか――

片頬に皮肉な笑いを浮かべた啓一郎の顔が見えてくる。久美子は啓一郎より早く冴美の結婚のことも聞かされていた。啓一郎が反対するのは決まっていたので、最後には自分が説得しに行ってやらなければと考えていたのだった。

ふと、視線を感じて、久美子は顔をあげた。出ていく弔問者といれちがいに、二人の女が部屋に入って来たところだった。黒いワンピースの喪服を着ていたが、そのデザインの垢ぬけているためか、きわだって美しいためか、そのあたりの空気が場所柄になく輝いたように見えた。

髪をひきつめ、黒い幅広のタフタのリボンで結んだ背の高い女の方が、久美子の方を見つめていた。

久美子は目でうなずいて会釈した。

水野ゆかりだった。おかっぱの丸顔の女がおそらくピーターパンの社長なのだろう。どこかの雑誌で見覚えのある顔だった。

ふたりは並んで遺体の前にすすみ、合掌した。

「逢ってやって下さいな」

低い声で久美子がゆかりにいった。

ゆかりの手がためらわずのび、白布をとった。

ふたりはまた合掌した。水晶の数珠がゆれ、光をあつめた。

ゆかりは、はっとするほど顔を近づけた。接吻したのかと思うほど近づけた顔から、涙があふれ、啓一郎の顔にしたたり落ちた。

ゆかりは自分のレースのハンカチを出しそっと啓一郎の頬を拭いた。生きている人にしているような自然なあたたかなしぐさだった。

久美子はこらえきれなくなって涙があふれそうになった。

――兄が喜んでいますわ、きっと、あなたの涙を頬に受けるなんて、幸せだといっているでしょう。ゆかりさん、兄はこの部屋にいるのよ。あなたのうつむいたきれいな衿足を上からじっと見下ろして見つめているんですわ――

久美子の心の声が聞こえたように、ゆかりが腰をねじって久美子の方をふりむいた。大きな目にたまっていた涙が、つうと頬にすべり落ちた。

身内の客たちも帰ってゆき、真穂と久美子のふたりだけが、遺体の側に残ったのは、もう午前二時を廻っていた。コニャックを運んできて、冴美は朝が早いからと寝にいった。

「何だかまだ夢を見ているようね」

蠟燭の火と線香の火をつぎたしながら久美子がいった。

「私が長いこと病気で、じっくり話しあうこともなくなったまま、急に逝かれてしもうたせいか、心残りで……」

「でも、お嫂さんがよくなったのを見届けてからなくなったので、お兄さんもそれだけは安心してるでしょうよ」

「人間なんて、はかないものね。久美子さんは、人は死んだら、どうなると思います」

「それがわかったら、誰も安心立命でしょうよ。誰もあの世へ行って帰った人間はいないんだから、わからないのが本当じゃないかしら」

「それじゃ、死ねば何もなくなると思う？」

「そこまで徹底出来ないわ。現に、私はまだ兄さんの魂がこの部屋にいて……この遺体の中にはもういないと思う。どっか天井のあのあたりにいて、私たちの話を聞いてるような気がしてならないわ」

真穂は反射的に久美子が見上げた天井の隅へ視線を移した。

「そうかしら……私には何も感じられないわ。でも、魂がここにいるなら聞いてもらいたいわ」

「………」

「私は結婚して以来、ずっと啓一郎ひとりを守ったのよ。結婚前に一人好きな人がいたけど、家で反対されて、それでもというほどの勇気はなかったの、それっきりだったの。私は啓一郎に愛情を需めすぎたのかしら、あの人は私をまるでものでも見るような冷たい目で終わり頃は見ていたわね」

「結婚生活って、長くなればなるほど、夫婦は肉親みたいになるんじゃないかしら」

「そんなの、いやだわ、いくつになっても女は女でしょう。妻は女として夫に愛されたいと思うのが正常じゃないですか」

　久美子はいいつのる真穂の目の色が、言葉よりおだやかで落ちついているのに安心した。本当に真穂は正常になっている。

「わかったわ、お嫂さんのいい分が正当なのよ、きっと。でも、男はそうはいかないでしょうね」

「なぜ」

「旧いいい草だけれど、女より社会的立場の多い人間ですからね。マイホームは、今時のふやけた男たちの願望らしいけど、昔の男は、やっぱり家庭より仕事でしょうね。お兄さんは、大正の男だけれど、明治人の気性が尾骶骨にくっついていたし、その上に大正ロマンチシズムをたぶんにかかえていて、あれで結構愛情も濃かったんじゃないかしら、それは本能でお嫂さんにはわかっていた筈だと思うけど」

「そりゃ、そうよ。他ではそのロマンチシズムを発揮してたかもしれないけれど、家庭では尾骶骨で生きてたってわけですよ」

　真穂のいい方があんまり熱っぽいので、久美子はかえっておかしくなり、笑ってしまった。

「こんなに早い別れが来るなら、つまらない意地をはったり、けんかなんかしないで、おだやかに暮らすんだったと後悔してるの」

　真穂の声がしんみりしてきたので、久美子もうなずいた。

「人間って後悔ばかりして生きていくのね。特に私はそうよ。最初に好きな人と思いきって駈け落ちすれば、それはそれで、どうにか生きていけた筈だったのよ。啓一郎の最初の浮気を知った時、別れてしまっておけば、次の浮気をみないですんだのよ。一事が万事そうだったわ。もうひとつのあり得たかもしれない自分の人生を思うと、とても惜しい気がする。すべては後の祭りよ」

「そうかしら、少なくとも私の見て来たお嫂さんは、ここ、一、二年前までは、とても幸福そうだったわ、病気のせいよ、そんな考えは」

「病気？　更年期症だというんでしょ」

「少なくともお兄さまはそう思っていたようよ」

「更年期のヒステリーと片づければ、一番楽ですものね」

「世間はそれで納得させられるのよ。夫は同情される立場にたつわけ」

「でも、わたしは更年期のヒステリーなんかじゃなかったのよ。久美子さんにだからいえるけれど、性的フラストレーションの症状が強度に出てただけよ。だから早く治ったんですよ」

「治ったのね、ほんとに」

「ええ、だから病院を出されちゃったの。まさかその時、啓一郎が急死するなんて、誰が思うでしょう。ついこの間も珍しく電話くれて、治ったら、スペインへでもふたりでのんびり行こうなんていってくれたの。びっくりして、だってあんまり思いがけなかったから、とっさに嬉しいっていえなくって、どうしてスペインなの、費用が安いから？　なんて、厭味な口をきいてしまったの。電話の向こうがしいんとして、しばらく答えがなかったわ。怒りを静めるため、じいっと息を抑えこんでいる啓一郎の顔が見えるようだったわ。その時の後悔ったらなかったわ。ああって叫びだしたいようだった。しばらくして、もう切る、用はないねって、向こうで受話器をおろしてしまったの。もう切っていった時の冷たさ、非情さって他人はいうかもしれないわね。ぞうっと背筋が冷たくなったのを覚えてる」

「せっかく歩みよってきたのに」

「そうなの、でも、すんなりありがとう、嬉しいっていうような感情は枯れてしまってたんだもの」

久美子はさりげなく真穂の表情をうかがった。

真穂の頬に涙が一筋流れている。

「これで最後の最後まで、あの人はわたしを突き放したのよ。わたしに負い目を残して」

「そんな怨みごというと、また明日の朝は身も世もなく後悔しますよ」

「あら、ほんとだわ……やっぱりまだ、あの人が死にきったなんて思えないからよ、死を信じていないからよ」

「死にきったなんて言葉は、変だけど、実感があるわね。まだ死にきっていないから、この話みんなお兄さまは聞いてるのよ」

「四十九日までを、中有っていうんですってね」

真穂があたりを見まわすようにして、ちょっと声をひそめていった。久美子はそのひそめた声は、啓一郎のそこにいるかもしれない霊に聞かれたくないからなのだろうと思った。

「ええ、中陰ともいうでしょう」

「初七日、ふた七日、み七日というように数えて四十九日を迎えるとは知っていたの、ただそれを仏教上の一つの儀式として、今まで、あたり前に受けとめてきたんだけど……」

真穂の声がいっそうしめやかに低くなった。

「考えてみたら、とても怖いことね」

「怖いことって？」

「啓一郎に死なれてみて、そう思ったの、さっき、ちょっと休んで来いって久美子さんにいわれて、下がったでしょう。あの時、わたし、ついふらふらと、啓一郎の書斎へ入っていったの。あの人は、読書家で、会社で仕事が忙しい立場になるほど、意地みたいに本を読んでいたでしょ。家にいる時は、家族と下らない話してぼんやりするってきらいな人で、ひとりで書斎にこもって本ばかり読んでたわ……それもわたしは淋しくて、いやだったの。苦情をいうと、お前も本を読めばいいじゃないかっていうだけだったの……書斎は啓一郎が倒れる前夜まで本を読んでいた気配が残っていて、デスクの前の椅子に坐ると、啓一郎の匂いや温みが、いきなりよみがえってきて、ぞくっとしたのよ」

久美子は相槌も打たず、黙って聞いていた。

そうすることがこの場合、真穂の神経を一番安らがせるのだと思った。

「机の上はきちんと整理されていて埃ひとつなかったわ。スタンドもペン皿も時計も、あるべき所にきちんとあるって感じ、読んでいた本が机の横の方に置かれていたわ。道元の正法眼蔵だったの。ああ、あの人は明日死ぬことを知らないで、道元を読んでいたんだなあと思うと、急に怖くなったの。その時よ、中有って言葉を思いだしたの。あんまり話さない人だから、何か言葉で教えてもらったって思い出はないんですよ。でもいつだったか、機嫌のいい日で、仲のよかったお友だちのお葬式から帰った晩だったわ。中有って知ってるかといって、人間の魂が、次の世に生まれかわるまでの四十九日間、この地球の上にとどまっていると教えてくれたの。死んだら魂は四十九日の間、どこへでも好きなところに行けるのかと思うと、愉快じゃないか、生きてる間はいろんな気がねがあって出来ないことを、四十九日の間はふわふわ魂が宙を飛んで、好き勝手しているかと思うと愉しくなるよって、いうのよ。そのお友だちは奥さんの他に秘書に手をつけて、愛人にして、ずっと囲っているのはまわりの誰でも知ってたの。わたしは啓一郎があんまり面白がるので、山城さん、そのなくなった人のことよ。山城さんが、秘書のところへ、今こそ気がねなくいってると思ってるのでしょう、それが羨ましいのねって、憎まれ口をきいてしまったの。すると急に興のさめた顔つきになって、お前の想像力ってその程度のことだって、噛んではきだすようにいって、書斎に閉じこもってしまったのよ。中有ってことばは何だか怖いの、啓一郎と前後して死んだ人なんて、地球上には何万といるわけでしょ。その人たちの魂が、今、ふわふわ飛んでると思うと、ぞうっとするわ」

久美子は真穂の話を聞きながら、中有の世界を考えついた人間は何というロマンティックな心優しい人だろうと思った。

啓一郎が生きている間に、中有についての感想を、啓一郎の口から聞きたかったと思う。中有に居る啓一郎は今、この場で、ふたりの女の話を聞いているのかもしれない。あるいはあの首すじの美しいゆかりの部屋に飛んでいって、そっとあの長い黒髪に接吻しているのかもしれない。

ゆかりの涙が啓一郎の死顔をしとどに濡らした美しい瞬間を、久美子は目を閉じて思い浮かべた。

「今になると、私は啓一郎の何を知っていたのかと怖くなるわ。ある時から、もうあの人は私に女を感じなくなっていたのだし、人間としても話すにたりない人物と見かぎっていたのでしょうね。女の本能って不思議ね、自分が相手に好かれているか、嫌われているかはわかるのよね。啓一郎に愛されていないと気がついた瞬間から、私の不幸は始ったのだけれど……」

「お嫂さんは、お兄さんの死ぬまで、ほんとに女として愛していたのね」

「そうね、そうだと思う。だって、私は啓一郎しか男を知らないのよ。妄想の中では、いろんな男を愛してみたり、抱かれてみたりしたけれど、啓一郎しか、肉体的にはまじわっていないの」

まじわるといったのを、泣き声でいったので、久美子は嫐ると聞いて、思わず真穂の顔を見直した。

啓一郎が真穂のうわ言を耳にし、自分の外に男がいたと信じていたことを、今更、真穂に告げる必要はないと思った。

啓一郎が、最後に愛したのが水野ゆかりだと真穂に知らせる必要がないのと同じだった。

「人間が人間を理解するなんて、とうてい不可能なことなのよ」

「でも、それじゃ愛って何なの、愛は人間の理解の上になりたつものじゃないの」

「理解しあえなくても、人は人を愛せるんじゃないかしら」

「どうして相手の気持もわからなくて愛せるのかしら」

「見合い結婚の相手を花婿も花嫁もお互い理解しあって結婚するかしら。信じるのが愛のはじまりじゃないの、あたしは疑い深くて信じないから、結局一人でいるんだと思うわ」

「信じるなんて、まるで宗教みたい」

「そうよ。恋愛なんて宗教と同じよ。信じるのは神や仏だけじゃないわ」

「神や仏は人間を裏切らないわ」

「そう。神や仏は人間に裏切られてもゆるしてくれるわね」

真穂は黙って、自分の心の底を見据えるような目つきになっていた。

久美子は、啓一郎の何かを、ゆかりに形見にもらってほしいと考えていた。

少なくともゆかりは自分が愛していなくても、啓一郎が自分を愛しているのを知っていたのだと思った。

自分の残る生涯の時間に、果たして何人の男を愛することが出来るだろうか。久美子は膝をすり、啓一郎の枕元の経机の蠟燭の火と線香をつぎ足した。

「冴美が婚約したのはもう聞いてくれたかしら」

「ええ、冴美ちゃんから。一番幸せなことと、一番不幸なことが一緒になって困ってる感じね」

「でも人間って現金だから、冴美は父親を亡くした不幸より、自分が婚約してる相手と相思相愛の現実の幸福の方が大きいのよ、薄情なもんだわ」

「そうじゃないでしょう。あの娘は正直なだけよ。誰だって、どんな時だって人間は幸せになる権利があるんだもの、冴美ちゃんが結婚をのばしたりしない方がいいのよ。気のあった父娘だったのだもの、きっとお兄さまだって喜んでくれるでしょう」

「でも生きてる時は反対して大変だったのよ。冴美がそういってたわ、わたしはその件で話しあう閑もなかった」

「死んでしまえばわかってくれてますよ」

「何だか変なの、悲しいというより、何だかこんなあっけなさで人間って消えていくのかと思うと、ぼんやりしてしまって、涙が出たと思う片端から乾いていくような気持で、しっくりしないの、不幸が自分の心の底に、きちんとおさまらない感じ」

「急だったからよ、だんだん落ち着くにつれて悲しくなるのだと思うわ。その時、病気がぶりかえさないでほしいわ」

「それは大丈夫よ。変ないい方だけど、一番わたしを苦しめた原因が忽然と消えたんですもの。わたしのかかっていた精神科の医者の言によれば、苦しんでいる原因が消えればわたしの病気は治るといったわ」

「それじゃ、まるで死ぬのを待っていたみたいじゃないの」

「だから……困ってるのよ、そんな筈じゃなかったたって」

久美子は笑ってしまった。この際不謹慎だと思ったが笑いがとまらなかった。

所詮、人間は自分のことしか考えていないのだと思った。エゴイズムは真穂も啓一郎も五分五分でいい勝負だったと思う。

「死ねば、またあの人に逢うのかしら」

「さあね、どうでしょう」

「久美子さんは愛した人に向こうの世界でまた逢いたい？」

「そうね、逢いたい人と逢いたくない人がいるようね」

「どんな人に逢いたくないの」

「愛しあっていて充分その愛を分かちあったという思い出があれば、もう逢いたくないわ、変にこじれたらいやだもの」

「向こうでもけんかしたり誤解すると思っているのね」

「だって、感情がなくなるようならロボットの世界でしょう。そんな無味乾燥な死後の世界は認めたくないの。やっぱり、四季があって、雨の日や雪の日や、嵐もある世界の方がいいわ」

「そんな変わり映えがしないあの世なんか、興味ないわ」

真穂がきっぱりといった。


通夜の帰り、ゆかりとまりはどちらから誘ったともなく清滝へ車を走らせた。

今年は清滝の蛍が例年より多いようだと、新聞で見たのを思い出したからだった。鳥居本の鮎宿の軒下の大提灯の火は消え、雨戸がしまっていた。

せまいトンネルを走りすぎると、水の流れの音がする。

橋の袂に車をとめ、外に出ると、夜風が涼しく頬を撫でた。人々の姿が橋の上や、川沿いの道に三々五々ひっそりと動いたり、立ちどまっているのが目に映ってきた。

ふたりは橋の中ほどの欄干にもたれてあたりの闇に目をこらした。渓流のひびきの中から、澄んだ河鹿（かじか）の声が湧き上がってくる。

「まあ、きれい」

まりが子供のように声をあげた。

闇の中に、無数の蛍が明滅していた。川ぞいの草むらに、宝石をばらまいたように光が濡れている。

「空梅雨やのに、今年はほんまに仰山出てるなあ」

年よりの男の低い声が、背後をゆっくり通りすぎていく。

「そうどすなあ、毎年々々、今年が見おさめかなあ思うては、こうしてここへ来て、もう何年になりますやろ」

淡々とした女の声も枯れてさびていた。老いた夫婦づれなのだろう。

ゆかりもまりと、ひっそり息をつめて、ふたりの会話を聞いていた。

男はその問いには答えず、

「あっ」

と小さな声をだした。

「じっとして……ほら、蛍がお前の髪にとまっとった。白髪にとまる蛍が光るのもええもんや」

足をとめたふたりの方をゆかりたちもふりかえって見た。男が両掌の中にとった蛍を、女の顔の方にさしだして見せている。女が男の胸のあたりまでしかない小柄なので、やせた男が背をまるめるようにして、女の方へ掌をさしだしている。

「ためいきついてるように光りますなあ、放してやりまひょ」

男が掌をひらくと、光がつうと走り、ゆかりの髪に落ちた。光の行方を見守っていた老夫婦がひくく笑った。

「今度は黒髪にとまった」

「女の髪の好きな蛍やなあ」

まりが手をのばすと、蛍はその手をさけ、流れの方へ沈んでゆき、ふっと消えた。

どちらからともなく軽い会釈をして、老夫婦は、闇の中へ去っていった。

能舞台の物の精が退場するような静かさが残された。

川の方へふりむいたとたん、ゆかりは息をのんだ。まるで風がおこったように、無数の光がいっせいに樹々から湧き舞い上がり、光の滝がなだれのように瀬の闇へゆっくり落ちてゆく。それに応えるように川面からも、草むらからも、光が鮮やかに明滅した。どの光も、幽かながら、強く輝き何かを訴え話しかけているようだった。

ゆかりは一きわ強く大きく光る蛍を草の先にみとめた。あれは啓一郎の魂だと思った。

年譜

大正十一年　一九二二年
五月十五日、徳島市に生まれる。父三谷豊吉、母コハルの次女。姉艶（つや）との二人姉妹。家業は神仏具商。

昭和四年　一九二九年　七歳
四月、新町尋常小学校に入学。
五月、父豊吉が叔母瀬戸内いとと養子縁組し、瀬戸内家を継ぐ。

昭和十年　一九三五年　十三歳
四月、県立徳島高等女学校に入学。

昭和十五年　一九四〇年　十八歳
四月、東京女子大学国語専攻部に入学。

昭和十八年　一九四三年　二十一歳
二月、学生結婚。
九月、東京女子大学卒業（戦時繰上）。
十月、北京に渡る。

昭和十九年　一九四四年　二十二歳
八月、長女誕生。

昭和二十一年　一九四六年　二十四歳
六月、引き揚げ、徳島に帰る。

昭和二十二年　一九四七年　二十五歳
秋、一家で上京。

昭和二十三年　一九四八年　二十六歳
二月、出奔、京都に移り自活する。

昭和二十五年　一九五〇年　二十八歳
二月、離婚。
十二月、少女小説が掲載され、はじめて原稿料を得る。

昭和二十六年　一九五一年　二十九歳
五月、上京。童話や少女小説を書き、生計を立てる。丹羽文雄の「文学者」の同人となる。

昭和三十一年　一九五六年　三十四歳
「文学者」解散。小田仁二郎主宰の同人誌「Z」に参加。

昭和三十二年　一九五七年　三十五歳
一月、「女子大生・曲愛玲（チュイアイリン）」で第三回新潮社同人雑誌賞を受賞。
五月、短篇集『白い手袋の記憶』を朋文社より刊行。

昭和三十三年　一九五八年　三十六歳
四月、「花芯」を二百枚に書き改め、三笠書房より刊行。「Z」解散。
五月、小田仁二郎らと「無名誌」を始める。
十月、同人誌「α（アルファ）」を主宰。

昭和三十四年　一九五九年　三十七歳
四月、短篇集『迷える女』を小壺天書房より刊行。「α」解散。
七月、「女の海」を東京タイムズに連載（翌年二月完結）。

昭和三十五年　一九六〇年　三十八歳
一月、「田村俊子」を再刊した「文学者」に連載（十二月完結）。

昭和三十六年　一九六一年　三十九歳
四月、『田村俊子』を文芸春秋新社より刊行。同作品で第一回田村俊子賞受賞。
十二月、練馬区高松町に転居。

昭和三十七年　一九六二年　四十歳
七月、「かの子撩乱」を「婦人画報」に連載（三十九年六月完結）。
十月、「女徳」を「週刊新潮」に連載（翌年十一月完結）。

昭和三十八年　一九六三年　　四十一歳

四月、「夏の終り」で第二回女流文学賞受賞。

五月、『夏の終り』を新潮社より刊行。

十二月、『女徳』を新潮社より、『ブルーダイヤモンド』を講談社より刊行。文京区関口台町に転居。

昭和三十九年　一九六四年　　四十二歳

一月、「背徳の暦」を「小説現代」に連載（十二月完結）。エッセイ「一筋の道」を「銀座百点」に連載（四十一年十二月完結）。

二月、「女優」を「週刊新潮」に連載（十一月完結）。

四月、「妻たち」を新聞三社連合に連載（翌年六月完結）。

六月、短篇集『妬心』を新潮社より刊行。

九月、『花野』を文芸春秋新社より刊行。

十二月、『女優』を新潮社より刊行。中野区本町通に転居。

昭和四十年　一九六五年　　四十三歳

一月、「花怨」を「婦人俱楽部」に連載（翌年三月完結）。

二月、「煩悩夢幻」を「週刊読売」に連載（十月完結）。

四月、「美は乱調にあり」を「文芸春秋」に連載（十二月完結）。

五月、『かの子撩乱』を講談社より、『妻たち』を新潮社より刊行（上巻五月、下巻七月）。

七月、エッセイ集『道』を文化服装学院より刊行。

九月、「鬼の栖」を「文芸」に連載（翌年八月完結）。

十一月、「朝な朝な」を「週刊現代」に連載（翌年八月完結）。「美女伝」を「中央公論」に連載（翌年八月完結）。

昭和四十一年　一九六六年　　四十四歳

一月、「燃えながら」を「婦人生活」に連載（十二月完結）。

三月、『美は乱調にあり』を文芸春秋新社より刊行。

七月、短篇集『愛にはじまる』を中央公論社より刊行。「彼女の夫たち」を学芸通信社を通じて連載（翌年七月完結）。

九月、『煩悩夢幻』を新潮社より刊行。

十月、『朝な朝な』を講談社より刊行。

十一月、「夜の会話」を「週刊文春」に連載（翌年九月完結）。

十二月、『瀬戸内晴美自選作品』を雪華社より刊行（翌年八月、四巻で中絶）。京都市に転居。

昭和四十二年 一九六七年 四十五歳

一月、「いずこより」を「主婦の友」に連載（四十四年六月完結）。

二月、『燃えながら』を講談社より刊行。「情婦たち」を「小説新潮」に連載（十二月完結）。

四月、「祇園女御」を新聞三社連合に連載（翌年五月完結）。

七月、『死せる湖』を文芸春秋より刊行。

九月、『鬼の栖』を河出書房新社より、『黄金の鋲』を新潮社より、『瀬戸内晴美傑作シリーズ』全五巻を講談社より刊行。

十月、エッセイ集『一筋の道』を文芸春秋より刊行。

十二月、短篇集『火の蛇』を講談社より刊行。

昭和四十三年 一九六八年 四十六歳

一月、「お蝶夫人」を「宝石」に連載（十二月完結）。「あなたにだけ」を「週刊サンケイ」に連載（十月完結）。

二月、『情婦たち』を新潮社より刊行。

三月、「妻と女の間」を毎日新聞に連載（翌年六月完結）。

四月、「遠い声・管野すが子抄」を「思想の科学」に連載（十二月完結）。エッセイ集『愛の倫理・才気ある生き方』を青春出版社より刊行。

五月、『彼女の夫たち』を講談社より、『夜の会話』を文芸春秋より刊行。

十月、『祇園女御』を講談社より刊行。

十二月、『あなたにだけ』を産経新聞社より刊行。

昭和四十四年 一九六九年 四十七歳

一月、「薔薇館」を「主婦と生活」に連載（翌年十二月完結）。

四月、『妻と女の間』を毎日新聞社より刊行（上巻四月、下巻六月）。

五月、「奈落に踊る」を「文学界」に連載（九月完結）。

七月、「純愛」を学芸通信社を通じて連載（翌年六月完結）。『お蝶夫人』を講談社より刊行。

九月、短篇集『蘭を焼く』を講談社より刊行。

十二月、『奈落に踊る』を文芸春秋より刊行。

昭和四十五年 一九七〇年 四十八歳

一月、「とはずがたり」を「婦人生活」に連載（十二月完結）。「恋川」を「サンデー毎日」に連載（十二月完結）。

三月、『遠い声』を新潮社より刊行。

九月、「徳島ラジオ商殺し」を「週刊読売」に五回にわたり連載。

十一月、「輪環」を「週刊文春」に連載（翌年九月完結）。

昭和四十六年 一九七一年 四十九歳

一月、「余白の春」を「婦人公論」に連載（翌年三月完結）。「町は」（後に「みじかい旅」と改題）を「太陽」に連載（十二月完結）。

二月、『おだやかな部屋』を河出書房新社より刊行。

三月、『薔薇館』を講談社より刊行。

四月、『恋川』を毎日新聞社より刊行。

六月、『ゆきてかえらぬ』を文芸春秋より、『純愛』を講談社より刊行。

八月、「京まんだら」を「日本経済新聞」に連載（翌年九月完結）。

九月、「私の取材ノート『遠い声』ほか」を「読売新聞」に連載（八回）。

十月、「中世炎上」を「週刊朝日」に連載（翌年九月完結）。

十一月、『輪環』を文芸春秋より刊行。

昭和四十七年 一九七二年 五十歳

一月、「私の旅」を「旅」に連載（十二月完結）。

二月、エッセイ集『放浪について』を講談社より刊行。

三月、『瀬戸内晴美作品集』全八巻を筑摩書房より刊行（翌年五月完結）。『みじかい旅』を文芸春秋より刊行。

四月、「新潮日本文学58・瀬戸内晴美集」を新潮社より刊行。

六月、『余白の春』を中央公論社より刊行。

十月、「色徳」を「週刊新潮」に連載（翌年十二月完結）。『美女伝』を講談社より刊行。

十一月、「流域紀行・吉野川」を「朝日新聞」に連載（七日から二十日まで）。『京まんだら』（上・下）を講談社より刊行。

昭和四十八年　一九七三年　五十一歳

一月、「抱擁」を「文学界」に連載（十二月完結）。河出書房新社刊行『日本の古典・王朝日記随筆集Ⅱ』に「とはずがたり」を現代語訳。『中世炎上』を朝日新聞社より刊行。

三月、エッセイ集『ひとりでも生きられる』を青春出版社より刊行。

五月、「蜜と毒」を「週刊現代」に連載（十二月完結）。

七月、「日月ふたり——高群逸枝・橋本憲三」を「文芸展望」に連載（五十年一月まで、未完）。

十月、『瀬戸内晴美長編選集』全十三巻を講談社より刊行（翌年十二月完結）。

十一月十四日、奥州平泉中尊寺にて得度。法名寂聴。

昭和四十九年　一九七四年　五十二歳

一月、自伝『いずこより』を筑摩書房より刊行。

二月、対談集『談　談　談』を大和書房より刊行。

四月、『吊橋のある駅』を河出書房新社より、『終りの旅』を平凡社より刊行。「遠い風・近い風」を朝日新聞に連載（翌年四月完結）。

九月、『色徳』（上・下）を新潮社より刊行。

十月、『抱擁』を文芸春秋より刊行。「幻花」を新聞三社連合に連載（翌年九月完結）。

十一月、「冬の樹」を「中央公論」に連載（五十一年一月完結）。

十二月、『見知らぬ人へ』を創樹社より刊行。嵯峨野に寂庵を構える。

昭和五十年　一九七五年　五十三歳

一月、『見出される時』を創樹社より、戯曲『かの子撩乱』を冬樹社より刊行。『瀬戸内晴美随筆選集』を河出書房新社より刊行（全六巻　六月完結）。

五月、エッセイ「嵯峨野より」を「婦人倶楽部」に連載（翌年十二月まで）。

七月、『山河漂泊』を平凡社より刊行。

十一月、『遠い風・近い風』を朝日新聞社より刊行。

昭和五十一年　一九七六年　五十四歳

一月、『幻花』を河出書房新社より、『蜜と毒』を講談社より刊行。

二月、「竹の声・桃の花」を「禅の友」に連載（十一月まで）。

六月、『冬の樹』を中央公論社より刊行。

七月、「嵯峨野日記」を「週刊朝日」に連載（五十三年十二月まで）。

九月、「まどう」を毎日新聞に連載（翌年十月まで）。

十月、「草宴」を「群像」に連載（翌年九月完結）。

十一月、「花情」を「草月」に連載（五十四年四月まで）。「かげろふ日記私考」を「すばる」に連載（五十四年二月まで）。

昭和五十二年　一九七七年　五十五歳

一月、「平家物語」を「ミセス」に連載（五十四年二月完結）。

三月、『嵯峨野より』を講談社より刊行。

四月、「四季花譜」を「文芸展望」に連載（翌年一月まで）。

七月、エッセイ「古都旅情」を「太陽」に連載（翌年十二月まで）。

昭和五十三年　一九七八年　五十六歳

一月、『祇園の男』を文芸春秋より刊行。エッセイ「風のたより」を「マダム」に連載（十二月まで）。

五月、『まどう』を新潮社より刊行。

八月、エッセイ「寂庵日記」を学芸通信社を通じて連載（翌年二月まで）。

十月、「こころ」を読売新聞に連載（翌年十月完結）。十一月、『草宴』を講談社より、対談集『生きるということ』を皓星社より刊行。

昭和五十四年　一九七九年　五十七歳

一月、エッセイ「寂庵浄福」を「ミセス」に連載（十二月まで）。「無憂華」を「主婦と生活」に連載（十二月まで）。

二月、『花火』を作品社より、エッセイ集『有縁の人』を創林社より刊行。

三月、「伝教大師巡礼」を「大法輪」に連載（翌年十二月完結）。

五月、『古都旅情』を平凡社より、エッセイ集『風のたより』を海竜社より刊行。エッセイ「続寂庵日記」を学芸通信社を通じて連載（翌年四月まで）。

九月、書き下ろし長編『比叡』を新潮社より刊行。書き下ろし評伝「炎凍る——樋口一葉の恋」を小学館刊行の『全集樋口一葉　第四巻』に収める。

昭和五十五年　一九八〇年　五十八歳

一月、『花情』を文芸春秋より刊行。

二月、『こころ』（上・下）を講談社より刊行。

三月、『小さい僧の物語』（平凡社名作文庫のうち）を平凡社より刊行。

四月、エッセイ「愛と祈りを」を「めばえ」に連載（五十七年十二月まで）。

五月、『幸福』を講談社より刊行。小田仁二郎追悼誌「ＪＩＮ」を発行。

六月、対談シリーズ「愛と芸術の軌跡」を「別冊婦人公論」に連載（五十八年六月まで）。

七月、『人物近代女性史　女の一生』（全八巻）を責任編集、各巻解説を書き講談社より刊行（翌年四月完結）。『新潮現代文学59・瀬戸内晴美』を新潮社より、エッセイ『寂庵浄福』を文化出版局より刊行。

十月、『嵯峨野日記』（上・下）を新潮社より刊行。

昭和五十六年　一九八一年　五十九歳

一月、「ここ過ぎて」を「新潮」に（五十八年九月まで）、「諧調は偽りなり」を「文芸春秋」に（五十八年八月まで）、「私の好きな古典の女たち」を「マダム」に（十二月まで）、それぞれ連載開始。

徳島市にて寂聴塾を開く（十二月まで毎月一回）。

三月、『瀬戸内晴美による瀬戸内晴美』を青銅社より刊行。

四月、「寂聴巡礼」を「太陽」に連載（翌年二月まで）。「愛の時代」を学芸通信社を通じ連載（翌年三月まで）。「忘れ得ぬ人・人」を「ちくま」に（五十八年四月まで）連載開始。『ブッダと女の物語』を講談社より刊行。

五月、『伝教大師巡礼』を講談社より刊行。

十一月、『続瀬戸内晴美長編選集』を講談社より刊行（全五巻　翌年七月完結）。

昭和五十七年　一九八二年　　六十歳

一月、「青鞜」を「婦人公論」に連載（五十九年八月まで）。

二月、『私の好きな古典の女たち』を福武書店より刊行。

四月、「寂聴辻説法」を「躍進」に連載（五十八年六月まで）。『寂聴巡礼』を平凡社より刊行。徳島市にて徳島塾（第一期）を開く（翌年三月まで毎月一回）。

七月、『インド夢幻』を朝日新聞社より刊行。

九月、寂聴塾一年間の内容を集約した『いま、愛と自由を』を集英社より刊行。

十二月、『愛の時代』（上・下）を講談社より刊行。

昭和五十八年　一九八三年　　六十一歳

一月、「美しきものを見し者は」を「マダム」に連載（二月まで）。

二月、「私小説」を「すばる」に連載（翌年七月まで）。『印度・乾陀羅』（「美と愛の旅1」）を講談社より刊行。

四月、徳島市にて徳島塾（第二期）を開く（翌年三月まで毎月一回）。

五月、対談紀行「名作の中の女たち」を「月刊カドカワ」に連載（翌年四月まで）。

六月、『敦煌・西蔵・洛陽』（「美と愛の旅2」）を講談社より刊行。

七月、『愛と祈りを』を小学館より、『すばらしき女たち』を中央公論社より刊行。

十月、エッセイ集『人なつかしき』を筑摩書房より刊行。

十一月、「仏陀」を「恒河」に連載（「恒河」第三号にて廃刊のため中断）。

十二月、対談シリーズ「未来を走る男たち」を「別冊婦人公論」に連載開始。

昭和五十九年　一九八四年　六十二歳

一月、「ぱんたらい」を「海燕」に連載（翌年四月まで）。対談シリーズ「未来を走る男たち」を「別冊婦人公論」に連載（六十年十月まで）。対談集『あざやかな女たち』を中央公論社より刊行。

三月、『諧調は偽りなり』を文芸春秋より刊行。

四月、『ここ過ぎて——白秋と三人の妻——』を新潮社より刊行。

十月、『青鞜』（上・下）を中央公論社より刊行。

対談紀行『名作のなかの女たち』を角川書店より刊行。『愛の現代史』を責任編集、各巻解説を書き中央公論社より刊行（全五巻　翌年二月完結）。

十一月、エッセイ集『一筋の道』新装版を文芸春秋より刊行。

十二月、「女人源氏物語」を「本の窓」に連載（平成元年三月まで）。

昭和六十年　一九八五年　六十三歳

一月、『私小説』を集英社より刊行。「風のない日々」を「新潮」に発表。エッセイ「愛の四季」を「月刊カドカワ」に連載（十二月まで）。エッセイ「いのち華やぐ」を大阪朝日新聞に連載（翌年三月まで）。

二月、エッセイを、「太陽シリーズ　京都奈良四季の美術散歩24選」に連載（季刊　翌年一月まで）。

三月、『寂庵説法』を講談社より刊行。「この号瀬戸内寂聴さんといっしょに作りました。」（「クロワッサン」176号）。

四月、エッセイ「嵯峨野好日」を「比叡山時報」に連載開始（六十二年三月まで）。

五月、十五日、曼陀羅山寂庵嵯峨野僧伽落慶。

「硝子のなかに蝶」を「婦人公論臨時増刊　一冊まるまる瀬戸内寂聴人生相談」に発表。『瀬戸内寂聴紀行文集』を平凡社より刊行（全六巻　翌年三月完結）。

七月、「他人の夫」を「別冊婦人公論」に発表。

エッセイ「寂聴古寺巡礼」を「太陽」に連載（翌年六月まで）。

九月、「世界名作のなかの愛と女」を「マダム」に連載開始（翌年十二月まで）。エッセイ「寂庵こよみ」を東京新聞に、「現代のことば」を京都新聞（翌年四月まで）に、それぞれ連載開始。

十月、「海岸通り」（「虚空」のうち二）を「新潮」に発表。『仏教の事典』を編著、巻頭エッセイ「日本の仏教」を加え三省堂より刊行。

十二月、『ぱんたらい』を福武書店より刊行。カセット説法「寂庵でお茶を」をアポロンより発売。

昭和六十一年　一九八六年　　六十四歳

一月、「揺鈴」（「虚空」のうち三）を「新潮」に発表。「京都重要文化財の茶室」の取材とエッセイを「婦人画報」に連載開始（十二月まで）。「最澄」を『日本の仏教　天台宗』に書き小学館より刊行。コミック『ブッダと女の物語』を中央公論社より刊行。

二月、「鞦韆（ぶらんこ）」を「群像」に、「影」を「小説新潮」に発表。評伝「出口王仁三郎」を『言論は日本を動かす　第六巻　体制に反逆する』に書き講談社より刊行。

三月、「ちゅうりっぷ」を「文学界」に発表。「赤い枢」を「別冊婦人公論」に連載（平成元年十月まで）。

五月、エッセイ「『比叡』への道」を『比叡山延暦寺一二〇〇年』に書き新潮社より刊行。

六月、エッセイ集『幸福と不安のカクテル』を大和書房より、エッセイ集『寂庵だより』を海竜社より刊行。「道元」を『日本の仏教　曹洞宗』に書き小学館より刊行。

七月、「家族物語」を学芸通信社を通じて連載（翌年七月まで）。

八月、短篇集『風のない日々』を新潮社より刊行。エッセイ「新・寂庵説法」を「ソフィア」に連載（翌年十一月まで）。

九月、対談集『瀬戸内寂聴と男たち』を中央公論社より刊行。「滝」を「群像」に発表。

十月、エッセイ集『いのち華やぐ』を講談社より刊行。

十一月、瀬戸内寂聴・永田洋子往復書簡集『愛と命の淵に』を福武書店より刊行。

昭和六十二年　一九八七年　　六十五歳

一月、「時計」を「海燕」に発表。エッセイ「わたしの源氏物語」を読売新聞に（翌年十二月まで）、身の上相談「瀬戸内寂聴さんの『聴く』」を「婦人画報」に（十二月まで）それぞれ連載開始。

二月、曼陀羅山・寂庵の新聞「寂庵だより」を発行。

三月、「私の京都――小説の旅」を海竜社より刊行。

四月、『愛と別れ――世界の小説のヒロインたち』を講談社より刊行。

五月五日、岩手県二戸郡浄法寺町の天台寺に晋山。

六月、「はなみずき」を「クロワッサン」に発表。

七月、「紫陽花」「桔梗」を「クロワッサン」に発表。

京都新聞、「現代のことば」連載再開。

八月、「昼顔」を「クロワッサン」に発表。

九月、読者と対談「源氏が愛した女たち」を「MINE」に連載（翌年十一月まで）。

十月、「金の沓」を「小説新潮」に発表。『田村俊子作品集』を小田切秀雄・草野心平と監修、オリジン出版センターより刊行。

昭和六十三年　一九八八年　六十六歳

一月、エッセイ「天台寺日記」を「ハイミセス」に連載（十二月まで）。「通夜」を「群像」に発表。

二月、『愛の四季』を角川書店より、『祇園女御』を『日本歴史文学館』に収めて講談社より刊行。

三月、『新・寂庵説法』を講談社より、『昭和文学全集第二十五巻』（深沢七郎・水上勉・曽野綾子・有吉佐和子と）を小学館より刊行。

四月、敦賀女子短期大学学長に就任。「海峡」を「クロワッサン」に発表。

五月、「阿闍世」を「新潮」に発表。比叡山不滅の法灯、天台寺に分灯。

七月、「寂聴カセットライブラリー法話　愛するということ」を文春カセットライブラリーに語り下し。

十月、『寂聴　般若心経』を中央公論社より刊行。

十一月、『女人源氏物語』（全五巻）を小学館より刊行開始（隔月刊行）。

十二月、『寂聴の仏教入門』（久保田展弘氏との対談形式）を講談社より刊行。『瀬戸内寂聴紀行文集』を幸田弘子氏朗読により平凡社カセットライブラリーより発行（全六巻、翌年五月まで毎月一巻ずつ）。

昭和六十四年・平成元年　一九八九年　六十七歳

一月、「はるかなり巡礼の道」を平凡社カセットライブラリーに収める。

三月、エッセイ「雛祭り」を『仏教行事歳時記――三月　彼岸』に収め第一法規より刊行。

四月、エッセイ「寂聴茶話」を「ザ・ゴールド」に連載開始。『夏の終り』英訳『The End of Summer』（Janine Beichman訳）を講談社より刊行。

五月、『寂聴　写経のすすめ』を法蔵館より、『天台寺の四季』を（有）寂より刊行。

六月、「花に問え」を「中央公論文芸特集」に、「紅河」を「フェミナ」に連載開始。『生死長夜』を講談社より、『わたしの源氏物語』を小学館より刊行。

七月、『天台寺好日』を文化出版局より、『瀬戸内晴美伝記小説集成』（全五巻）を文芸春秋より刊行開始（隔月配本）。

八月、「性の扮飾決算」を「新潮＋45」に連載（翌年五月まで）。

九月、『寂庵こよみ』を中央公論社より、『寂聴　愛のたより』を海竜社より、『瀬戸内寂聴　自選短編集　あふれるもの』を学芸書林より刊行。

十月、エッセイ「寂聴つれぐ〵草子」を「週刊朝日」に連載（翌年十月まで）。「愛のまわりに」を「女性セブン」に連載開始（一部のエッセイは翌年八月まで、二部は読者の人生相談）。

平成二年　一九九〇年　　六十八歳

一月、「手毬」を「新潮」に連載（十二月まで）。

五月、カセット説法『寂聴　観音経の世界』（全五巻）を発売。

七月、『寂聴　観音経　愛とは』を中央公論社より、『パーフェクト・ウーマン』を監訳し三笠書房より刊行。

八月、『わが性と生』（「性の扮飾決算」改題）を新潮社より刊行。

平成三年　一九九一年　　六十九歳

一月、「木枯」を「文芸春秋」に、「風花」を「小説新潮」にそれぞれ発表。

三月、『寂聴　つれづれ草子』を朝日新聞社より、『手鞠』を新潮社よりそれぞれ刊行。

一九九一・三　長尾玲子作成

本書は、一九八八年五月に、小社より刊行されたものです。

家族物語（下）
瀬戸内晴美

1991年4月15日第1刷発行

発行者——野間佐和子
発行所——株式会社 講談社
東京都文京区音羽2-12-21 〒112-01
電話 編集部 (03) 5395-3509
販売部 (03) 5395-3626
製作部 (03) 5395-3615
Printed in Japan

落丁本・乱丁本は小社書籍製作部あてにお送りください。
送料は小社負担にてお取替えします。 (庫)

ISBN4-06-184884-4

講談社文庫
定価はカバーに
表示してあります

デザイン——菊地信義
製版——豊国印刷株式会社
印刷——豊国印刷株式会社
製本——加藤製本株式会社

講談社文庫刊行の辞

二十一世紀の到来を目睫に望みながら、われわれはいま、人類史上かつて例を見ない巨大な転換期をむかえようとしている。

世界も、日本も、激動の予兆に対する期待とおののきを内に蔵して、未知の時代に歩み入ろうとしている。このときにあたり、創業の人野間清治の「ナショナル・エデュケイター」への志を現代に甦らせようと意図して、われわれはここに古今の文芸作品はいうまでもなく、ひろく人文・社会・自然の諸科学から東西の名著を網羅する、新しい綜合文庫の発刊を決意した。

激動の転換期はまた断絶の時代である。われわれは戦後二十五年間の出版文化のありかたへの深い反省をこめて、この断絶の時代にあえて人間的な持続を求めようとする。いたずらに浮薄な商業主義のあだ花を追い求めることなく、長期にわたって良書に生命をあたえようとつとめるところにしか、今後の出版文化の真の繁栄はあり得ないと信じるからである。

同時にわれわれはこの綜合文庫の刊行を通じて、人文・社会・自然の諸科学が、結局人間の学にほかならないことを立証しようと願っている。かつて知識とは、「汝自身を知る」ことにつきていた。現代社会の瑣末な情報の氾濫のなかから、力強い知識の源泉を掘り起し、技術文明のただなかに、生きた人間の姿を復活させること。それこそわれわれの切なる希求である。

われわれは権威に盲従せず、俗流に媚びることなく、渾然一体となって日本の「草の根」をかたちづくる若く新しい世代の人々に、心をこめてこの新しい綜合文庫をおくり届けたい。それは知識の泉であるとともに感受性のふるさとであり、もっとも有機的に組織され、社会に開かれた万人のための大学をめざしている。大方の支援と協力を衷心より切望してやまない。

一九七一年七月

野間省一

講談社文庫　目録

鈴木卓郎　日本警察の解剖
須知徳平　春来る鬼
杉田　望　小説 国際プラント・ビジネス戦争
瀬戸内晴美　かの子撩乱
瀬戸内晴美　蘭を焼く
瀬戸内晴美　放浪について
瀬戸内晴美　祇園女御 全二冊
瀬戸内晴美　京まんだら 全二冊
瀬戸内晴美　薔薇館
瀬戸内晴美　彼女の夫たち 全二冊
瀬戸内晴美　純愛 全二冊
瀬戸内晴美　恋愛学校
瀬戸内晴美　燃えながら
瀬戸内晴美　嵯峨野より
瀬戸内晴美　幸福
瀬戸内寂聴　ブッダと女の物語
瀬戸内晴美　草宴
瀬戸内晴美　こころ 全二冊
瀬戸内晴美　花怨

瀬戸内晴美　愛の時代 全二冊
瀬戸内晴美　輪舞
瀬戸内晴美　蜜と毒
瀬戸内寂聴　伝教大師巡礼
瀬戸内晴美　ブルーダイヤモンド
瀬戸内寂聴　寂庵説法
瀬戸内寂聴　美と愛の旅
瀬戸内晴美　再会
瀬戸内寂聴　いのち華やぐ
瀬戸内寂聴　寂庵だより
瀬戸内寂聴　愛と別れ
瀬戸内晴美編　火と燃えた女流文学〈人物近代女性史〉
瀬戸内晴美編　新時代のパイオニアたち〈人物近代女性史〉
瀬戸内晴美編　国際結婚の黎明〈人物近代女性史〉
瀬戸内晴美編　恋と芸術への情念〈人物近代女性史〉
瀬戸内晴美編　自立した女の栄光〈人物近代女性史〉
瀬戸内晴美編　反逆の女のロマン〈人物近代女性史〉
瀬戸内晴美編　明治女性の知的情熱〈人物近代女性史〉
瀬戸内晴美編　人類愛に捧げた生涯〈人物近代女性史〉

千田夏光　従軍慰安婦
千田夏光　ドキュメント 明仁天皇
関　広延　誰も書かなかった沖縄
関川夏央　フォト・ルポ 七つの海で泳ぎたい。
曽野綾子　幸福という名の不幸 全二冊
曽野綾子　無名碑 全二冊
曽野綾子　いま日は海に
曽野綾子　絶望からの出発
曽野綾子　私を変えた聖書の言葉
曽野綾子　雪に埋もれていた物語
曽野綾子　夢を売る商人
曽野綾子　この悲しみの世に
曽野綾子・田名部昭　ギリシアの神々
太宰　治　人間失格
太宰　治　走れメロス・女生徒・富嶽百景
太宰　治　津軽
田辺聖子　もと夫婦
田辺聖子　無常ソング
田辺聖子　女が愛に生きるとき

講談社文庫　目録

講談社文庫　目録

豊田有恒　崇峻天皇暗殺事件
戸川幸夫　ヒトはなぜ子育てが下手か
豊田穣　戦艦武蔵レイテに死す 全二冊
豊田穣　日本交響楽 満州篇・全二冊
豊田穣　日本交響楽 大陸篇・全二冊
豊田穣　日本交響楽 太平洋篇・全二冊
豊田穣　日本交響楽 完結篇
常盤新平　ベースボール・グラフィティ
常盤新平　ザ・ニューヨーク・アイ・ラヴ
常盤新平　遠いアメリカ
土門周平　指導者の研究
童門冬二　坂本龍馬の人間学
童門冬二　武田信玄の人間学
童門冬二　徳川家光の人間学
童門冬二　織田信長の人間学
利根川裕　明治を創った人々
鳥井加南子　天女の末裔
鳥井加南子　月霊の囁き

夏目漱石　こころ
夏目漱石　坊っちゃん
夏目漱石　それから
夏樹静子　天使が消えていく
夏樹静子　見知らぬわが子
夏樹静子　黒白の旅路
夏樹静子　ガラスの絆
夏樹静子　誤認逮捕
夏樹静子　二人の夫をもつ女
夏樹静子　ベッドの中の他人
夏樹静子　あしたの貌
夏樹静子　重婚
夏樹静子　砂の殺意
夏樹静子　遠ざかる影
夏樹静子　家路の果て
夏樹静子　ビッグアップルは眠らない
夏樹静子　国境の女
夏樹静子　最後に愛を見たのは
夏樹静子　女の銃

夏樹静子　駅に佇つ人
中井英夫　虚無への供物
中井英夫　幻想博物館
中井英夫　悪夢の骨牌
中井英夫　人外境通信
中井英夫　真珠母の匣
永井路子　王者の妻 全二冊
永井路子　長崎犯科帳・青苔記 ほか五編
永井路子　にっぽん亭主五十人史
永井路子　執念の家譜
中里恒子　中納言秀家夫人の生涯
中沢けい　海を感じる時
中沢けい　野ぶどうを摘む
長井彬　原子炉の蟹
長井彬　M8の殺意
中津文彦　黄金流砂
中津文彦　特ダネ記者殺人事件
中津文彦　伊達騒動殺人事件
南原幹雄　北の黙示録 全二冊

講談社文庫　目録

星新一　なりそこない王子
星新一　おかしな先祖
星新一　ごたごた気流
星新一　きまぐれ体験紀行
星新一編　ショートショートの広場①～②
本多勝一　ニューギニア高地人
本多勝一　カナダ・エスキモー
本多勝一　アラビア遊牧民
本多勝一　日本人は美しいか
本多勝一　旅立ちの記 全二冊
本田靖春　ニューヨークの日本人
本田靖春　不当逮捕
本田靖春　新・ニューヨークの日本人
本田靖春　「戦後」美空ひばりとその時代
堀江邦夫　原発ジプシー
本田宗一郎　私の手が語る
保阪正康　大学医学部
保阪正康　新・大学医学部
保阪正康　追いつめられた信徒〈死なう団事件始末記〉

堀和久　大久保長安 全二冊
松本清張　草の陰刻
松本清張　黄色い風土
松本清張　黒い樹海
松本清張　連環
松本清張　花氷
松本清張　火の縄
松本清張　彩色江戸切絵図
松本清張　紅刷り江戸噂
松本清張　遠くからの声
松本清張　ガラスの城
松本清張　小説帝銀事件
松本清張　大奥婦女記
松本清張　風紋
松本清張　写楽の謎の「一解決」
松本清張　殺人行おくのほそ道 全二冊
松本清張　湖底の光芒
松本清張　奥羽の二人
松本清張　増上寺刃傷

松本清張　塗られた本
松本清張　熱い絹 全二冊
松本清張　異変街道 全二冊
松本清張　邪馬台国 清張通史①
松本清張　空白の世紀 清張通史②
松本清張　カミと青銅の迷路 清張通史③
松本清張　天皇と豪族 清張通史④
松本清張　壬申の乱 清張通史⑤
松本清張　古代の終焉 清張通史⑥
松谷みよ子　ちいさいモモちゃん
松谷みよ子　モモちゃんとプー
松谷みよ子　モモちゃんとアカネちゃん
松谷みよ子　ちいさいアカネちゃん
松谷みよ子　アカネちゃんとお客さんのパパ
松谷みよ子　黒い蝶・花びら
松谷みよ子　おおかみの眉毛
松谷みよ子　ジャムねこさん
松谷みよ子　オバケちゃん
松谷みよ子　ちびっこ太郎

講談社文庫　目録

松谷みよ子　龍の子太郎・ふたりのイーダ
松谷みよ子編著　日本の伝説　全二冊
松谷みよ子　日本の昔ばなし　全三冊
松谷みよ子編　昔話十二か月　全十二冊
眉村　卓　二次会のあと
眉村　卓　不器用な戦士たち
丸谷才一　たった一人の反乱　全二冊
丸谷才一　日本文学史早わかり
丸谷才一　犬だって散歩する
松下竜一　豆腐屋の四季
松下竜一　ルイズ〈父に貰いし名は〉
松下竜一　潮　風　の　町
松本常男　ビートルズ海賊盤事典
前田寿夫　市民版防衛白書
前田寿夫　市民版防衛白書Q&A
前川恵司　韓国・朝鮮人〈「在日」の生活の中で〉
牧野　昇　衰亡と繁栄
真鍋繁樹　堤義明の経営魂
三好　徹　闘う男たち
三好　徹　孤雲去りて　全二冊
三浦哲郎　はまなす物語
宮城まり子　ねむの木の子どもたち　正続
宮城まり子編　と　し　み　つ
三浦綾子　ひつじが丘
三浦綾子　自我の構図
三浦綾子　死の彼方までも
三浦綾子　毒　麦　の　季
三浦綾子　岩　に　立　つ
三浦綾子　青　い　棘
三浦綾子　イエス・キリストの生涯
三浦光世　三浦綾子　愛に遠くあれど
三浦光世　三浦綾子　太陽はいつも雲の上に
宮尾登美子　一　絃　の　琴
宮尾登美子　女のあしおと
宮尾登美子　花　の　き　も　の
宮尾登美子　天璋院篤姫　全二冊
見延典子　もう頰づえはつかない
宮沢賢治　銀河鉄道の夜・風の又三郎　ほか四編
宮本　輝　二十歳の火影
宮本　輝　命　の　器
宮本　輝　避　暑　地　の　猫
三輪和雄　小さな生命燃えつきて
南山　宏　宇宙から来た遺跡
南山　宏　宇宙と地球のミステリー
宮崎　緑　はい、ニュースキャスターです
宮崎　緑　キャスター駆け出す
宮地佐一郎　坂　本　龍　馬
三上太郎　株　式　上　場
村上元三　佐々木小次郎　全二冊
村上元三　源　義　経　全五冊
村上元三　水戸黄門　全八冊
村上元三　田沼意次　全三冊
村上　龍　限りなく透明に近いブルー
村上　龍　海の向こうで戦争が始まる
村上　龍　コインロッカー・ベイビーズ　全二冊
村上　龍　アメリカン★ドリーム
村上　龍　ポップアートのある部屋

講談社文庫　目録

講談社文庫　目録

1990年12月15日現在